Prof. Dr. Kerstin Reinke

Phonetiktrainer A1–B1
Aussichten

Kurs- und Selbstlernmaterial
mit 2 Audio-CDs

Ernst Klett Sprachen
Stuttgart

Die Symbole bedeuten:

 Sie arbeiten mit Ihrer Lernpartnerin / Ihrem Lernpartner zusammen.

 Sie arbeiten in der Gruppe.

Sie arbeiten alleine.

1 ⊙_1 Sie hören mit der Audio-CD.

Impressum Audio-CD
Sprecherinnen und Sprecher: Jonas Bolle, Odine Johne, Benjamin-Lew Klon, Ingrid Promnitz, Johannes Wördemann
Tontechnik: Michael Vermathen und Philipp Heck
Produktion: Bauer Studios GmbH, Ludwigsburg
Presswerk: Osswald GmbH & Co., Leinfelden-Echterdingen

© Ernst Klett Sprachen GmbH, Stuttgart 2012.

Textquellen
S. 15: „Was es ist", aus: Erich Fried, Es ist was es ist © Verlag Klaus Wagenbach, Berlin 1983; S. 35: „Im Nebel", aus: Hermann Hesse,
Sämtliche Gedichte in einem Band © Suhrkamp Verlag, Frankfurt am Main 1995; S. 41: „Wort an Wort" (Wir wohnen / Wort an Wort / …),
aus: Rose Ausländer, Im Aschenregen die Spur deines Namens. Gedichte und Prosa 1976. © S. Fischer Verlag GmbH, Frankfurt am Main
1984; S. 81: „Der Garten", aus: Rose Ausländer, Und preise die kühlende Liebe der Luft. Gedichte 1983-1987. © S. Fischer Verlag GmbH,
Frankfurt am Main 1988; S. 85: „Der Schmetterling", aus: Das große Heinz Erhardt Buch. © Lappan Verlag, Oldenburg 2009; S. 97: „Nur
zwei Dinge", aus: Gottfried Benn, Sämtliche Gedichte. Klett-Cotta, Stuttgart 1998.
Alle anderen schöpferischen Texte (Raps, Sketche u. Ä.) sind von Prof. Dr. Kerstin Reinke.

Bildquellen
Cover.1 shutterstock (Voronin76), New York, NY; Cover.2 Fotolia.com (Thaut Images), New York; Cover.3 creativ collection Verlag GmbH,
Freiburg

1. Auflage   1   5   4 | 2016   2015

Autorin: Prof. Dr. Kerstin Reinke

Redaktion: Renate Weber
Layoutkonzeption: Marion Köster, Stuttgart
Herstellung: Claudia Stumpfe
Gestaltung und Satz: Marion Köster, Stuttgart
Illustrationen: Vera Brüggemann, Bielefeld
Umschlaggestaltung: Annette Siegel
Druck und Bindung: LCL Dystrybucja Sp. z o.o.
Printed in Poland
ISBN 978-3-12-676232-8

Inhaltsverzeichnis

Einführung

Andere verstehen und selbst von anderen verstanden werden – das ist die Basis der Kommunikation. Deshalb ist Aussprachetraining sehr wichtig und sollte von Anfang an in den Fremdsprachenunterricht integriert werden. Mit einer guten Aussprache meistern Sie jede kommunikative Situation souverän. Der *Phonetiktrainer* hilft Ihnen, alle wichtigen phonetischen Probleme des Deutschen zu verstehen und die richtige Aussprache zu trainieren.

Der *Phonetiktrainer* wendet sich an alle, die
- sich für die phonetischen Regeln und den Klang des Deutschen interessieren
- nach effektiven Ideen und Übungen für das Aussprachetraining im Gruppenunterricht suchen
- eigenständig an ihrer Aussprache des Deutschen arbeiten wollen

Der *Phonetiktrainer*
- basiert auf Lexik für die Sprachniveaustufen A1 und A2 und eignet sich daher für den Einsatz ab A1
- erklärt und übt alle wichtigen phonetischen Phänomene der Aussprache des Deutschen und ist daher für Lernende aller Ausgangssprachen geeignet
- kann sowohl im Gruppenunterricht (begleitend zu jedem beliebigen DaF-Lehrwerk) als auch als Selbstlernmaterial eingesetzt werden
- kann als gesamter Kurs oder in Auszügen benutzt werden

Was ist das Besondere am *Phonetiktrainer*?
- er vermittelt phonetisches Wissen systematisch, verständlich und praktisch leicht anwendbar
- er nutzt bewährte und neue Methoden der Ausspracheschulung (Verbindung Hören und Sprechen, Einbeziehen von rhythmischen und körpersprachlichen Komponenten)
- er integriert die Arbeit an der Aussprache in den kommunikativen Kontext und hilft somit, die erworbenen Aussprachefertigkeiten anzuwenden
- er ist kreativ, emotional und humorvoll und macht die Arbeit an der Aussprache zu einem entspannten Erlebnis

Nutzen Sie auch das kostenlose Angebot unter www.klett-sprachen.de/phonetiktrainer Hier finden Sie die Trackliste zu den Audio-CDs, Tabellen als Kopiervorlagen, eine Liste mit weiteren Übungen in *Aussichten* sowie Videos mit 17 Aussprachetricks.
Wenn Sie ein Smartphone mit eingebauter Kamera sowie eine QR-Reader-APP (kostenlos erhältlich von diversen Anbietern) haben, können Sie über den hier abgebildeten QR-Code direkt zu den Aussprachetipps navigieren.

Arbeitsempfehlungen

1. Komponenten

Zum *Phonetiktrainer* gehören ein Buch mit 18 Modulen, in denen die wichtigsten phonetischen Themen für eine (sehr) gute Aussprache im Deutschen erklärt und geübt werden, sowie zwei CDs mit Hörbeispielen aus den Modulen.

2. Zielgruppe und Einsatzmöglichkeiten

Die im *Phonetiktrainer* verwendete Lexik sowie die syntaktischen Strukturen orientieren sich weitgehend an den Sprachniveaustufen A1 und A2.
Der *Phonetiktrainer* eignet sich sowohl für den Gruppenunterricht als auch für eigenständiges Lernen. Er ist kompatibel mit jedem beliebigen DaF-Lehrwerk, kann aber auch für spezielle Aussprachekurse genutzt werden. Da alle wichtigen phonetischen Themen enthalten sind, wendet er sich an Lernende aller Ausgangssprachen.
Der *Phonetiktrainer* lässt sich von Modul 1 bis Modul 18 durcharbeiten, jedoch können auch einzelne Module oder Teile aus den Modulen ausgewählt werden.

3. Aufbau der Module

Jedes Modul des *Phonetiktrainers* behandelt ein phonetisches Thema mit acht bis zehn Übungen. Die Module (außer dem 1. Auftaktmodul) sind alle ähnlich aufgebaut und enthalten in der Regel:
- eine Übersicht mit wichtigen Regeln und Tipps
- eine auditive Eintauchübung zum Verdeutlichen des phonetischen Phänomens
- Tricks, wie das phonetische Phänomen besonders gut geübt werden kann
- Hörübungen zum Erkennen bzw. Unterscheiden (ähnlicher) phonetischer Phänomene
- Übungen, in denen das phonetische Phänomen mit linguistischen Aspekten der Sprache (Grammatik, Wortbildung) bzw. mit Landeskunde (Ortsnamen etc.) verknüpft wird
- spielerisch angelegte Übungen zum Automatisieren und Anwenden
- dialogische bzw. szenische Übungen (*Sprechtheater*), mit denen phonetische Strukturen im kommunikativen Kontext geübt werden
- meist einen Rap, in dem das phonetische Phänomen unter sprechrhythmischen Aspekten geübt (automatisiert) wird
- meist ein Gedicht, in dem das phonetische Phänomen häufig enthalten ist und das besonders ästhetische und individuell-emotionale Aspekte anspricht

4. Allgemeine Prinzipien und Aufgabentypen

Der *Phonetiktrainer* setzt folgende bewährte allgemeine Prinzipien der Aussprache-schulung um:

- phonetisches bzw. phonologisches Hören und Aussprechen werden immer im Zusammenhang geübt
- Ausspracheübungen sind in (inszenierte) kommunikative Sprechhandlungen integriert
- die Aufmerksamkeit der Lernenden wird gezielt auf formale (phonetische) Aspekte der Sprache gelenkt
- die Arbeit an der Aussprache spricht Emotionen und Kreativität der Lernenden an und soll Spaß machen
- Sprechrhythmus und mimische sowie gestische Elemente werden gezielt eingesetzt, um die Aussprache zu erleichtern und um kommunikative Formen besser einzu-schleifen

Jede Übung umfasst in der Regel mehrere Aufgaben, die möglichst in der dort angege-benen Reihenfolge absolviert werden sollten. Folgende Aufgabentypen sind enthalten.

1. Übungen zum Trainieren phonetischer Aspekte (zur Fehlervorbeugung / -korrektur)
Ausgewählte Hörbeispiele sollen formbewusst nachgesprochen werden. Dabei können die dort angegebenen Aussprachehinweise angewendet werden.

2. Hör- und Automatisierungsübungen
Hören und (still, leise oder laut) mitlesen: Das Hörbeispiel soll fast synchron mitge-sprochen werden. Durch Markierungen im Schriftbild wird meist die Laut-Buchstaben-beziehung verdeutlicht. Stilles Mitlesen übt die Konzentration auf visuelle und auditive Signale. Leises und lautes Mitlesen schult besonders den Sprechrhythmus. Die Hörbei-spiele können auch mitgesummt oder mitgebrummt werden.
Hören und markieren / ankreuzen: Damit übt man das Erkennen und Unterscheiden (ähnlicher) phonetischer Merkmale. Außerdem kann man testen, ob man wichtige phonetische Unterschiede in der Fremdsprache erkennt.
Hören und schreiben: Meistens sollen Lückentexte nach dem Hörbeispiel ergänzt und somit Laut-Buchstabenbeziehungen geübt werden.
Hören und nachsprechen: Ein Hörbeispiel soll wiederholt werden. Dazu muss das auditive Muster kurzzeitig im Gedächtnis gespeichert werden.

Jedes Hörbeispiel eignet sich zum mehrmaligen Mitsprechen und Nachsprechen, auch wenn das in der Aufgabenstellung nicht explizit angegeben ist. Dafür muss die Tonauf-nahme jeweils für eine Nachsprechpause gestoppt werden.

3. Übungen zum lauten Lesen und Vorlesen

Wörter, Wortgruppen oder Sätze sollen laut vorgelesen werden, entweder mit oder ohne vorher präsentiertes Hörbeispiel. Damit werden Laut-Buchstaben-Beziehungen geübt. Man kann außerdem überprüfen, ob die Artikulation schon (fast) fehlerfrei gelingt.

4. Anwendungsübungen

Verbindung grammatischer Schwerpunkte mit phonetischen Aspekten: Diese Übungen zeigen die Verknüpfung zwischen grammatischen und phonetischen Phänomenen (z. B. bei Nomen mit O-Lauten im Singular *Tochter* und Ö-Lauten im Plural *Töchter*).

Spiele: Bekannte Spielformen (Würfel- und Brettspiele, Bingo, Memory) sind für das entsprechende phonetische Thema adaptiert. Außerdem gibt es noch Frage- und Antwortspiele sowie Reime, die für das notwendige Üben von Aussprachemustern besonders motivieren.

Übungen zum szenischen Sprechen: Hier werden die gelernten Aussprachefertigkeiten in inszenierten Kommunikationssituationen eingeübt. Dabei helfen Hörbeispiele und Regieanweisungen.

Raps: Die Raps verdeutlichen das phonetische Thema in rhythmischer Form. Sie sollen im Chor mit- oder nachgesprochen werden. So schleifen sich die phonetischen Strukturen besser ein.

Gedichte: Ästhetisch-künstlerische Texte zeigen, dass Form, Inhalt und individueller (emotionaler) Eindruck eine Einheit bilden. Damit wird zum intensiven und experimentellen Üben angeregt.

5. Allgemeine und weiterführende Arbeitshinweise

- Nutzen Sie das Übungsangebot kreativ: Summen, brummen, sprechen Sie alle auditiven Stimuli mit oder nach. Finden Sie zusätzliche Beispiele für jede Übung.
- Übertreiben Sie beim Üben: Sprechen Sie deutlich, emotional und mit Mimik und Gestik.
- Lernen Sie die phonetische Umschrift. So können Sie Aussprachewörterbücher nutzen.
- Widmen Sie der Arbeit an der Verbesserung der Aussprache Zeit. Sie verbessern damit Ihre kommunikative Kompetenz enorm.
- Bleiben Sie beim Üben entspannt und fröhlich. Anfängliche Probleme sind keine Katastrophe! Als Lehrperson korrigieren Sie regelmäßig, aber immer freundlich und konstruktiv. Korrigieren Sie nie während einer spielerischen oder szenischen Übung oder während eines Gedichtvortrags, sondern immer erst danach.

Viele Spaß und viel Erfolg wünscht Ihnen

Kerstin Reinke

1 Wie klingt das?

1 | So klingt Deutsch.

a | Hören Sie die Szene, schließen Sie dabei die Augen und achten Sie auf den Klang der Sprache. Wie gefällt er Ihnen? Kreuzen Sie an. Tauschen Sie sich danach über Ihre Eindrücke mit Ihren Lernpartnern aus.

Das klingt ...

☺ ☐ ☐ ☐ ☐ ☹

b | Können Sie sich an einzelne Wörter oder Sätze erinnern? Imitieren Sie sie. Was klingt fremd für Sie? Was finden Sie schwierig? Was klingt Ihnen vertraut? Was finden Sie einfach?

2 | So finde ich Deutsch.

a | Wann und wo haben Sie schon einmal etwas auf Deutsch gehört? Fanden Sie es schön oder nicht schön? Warum? Sprechen Sie darüber.

b | Welche Sprachen klingen für Ihre Ohren am schönsten? Machen Sie eine Hitliste und begründen Sie.

1. └─────────────┘

2. └─────────────┘

3. └─────────────┘

> Meine Muttersprache klingt ...

> Deutsch klingt ...

3 | Alphabet-Rap

a | Hören Sie den Alphabet-Rap. Lesen Sie den Text auf Seite 9 mit und rappen Sie mit. Beginnen Sie immer wieder von vorn.

b | Erfinden Sie ein eigenes Buchstabier-Alphabet. Benutzen Sie für jeden Buchstaben Wörter, die Ihnen besonders wichtig sind. Sprechen Sie Ihr Alphabet emotional (es kann, aber muss sich nicht reimen).

> **A** wie **A**pfel. Hm, lecker!
> **B** wie **B**rötchen vom **B**äcker!

Hallo Leute, ich zeig euch heute, wie's geht.
Hier kommt mein Buchstabier-Alphabet.
A wie **A**NFANG, **B** wie **B**ITTE, **C** wie **C**ABRIO,
D wie **D**ANKE, **E** wie **E**NDE, **F** wie **F**ARBENFROH.
G wie **G**ERN, **H** wie **H**IER, **I** wie **I**CH … und du.
JKL? Das heißt: **J**EDER **K**RIEGT **L**UST dazu.
M wie **M**EIN, **N** wie **N**EIN, **O** wie **O**PTIMAL,
P wie **P**ARTY, **Q** wie **Q**UATSCH, **R** wie **R**EGIONAL.
S und **T** wie in **S**ONNTAG und **T**ELEFON,
U wie **U**HR, **V** wie **V**IEL, **W** wie **W**EIßT du schon?
X und **Y** sind meistens nicht vorne dran,
denn TA**X**I und T**Y**P fangen anders an.

Doch es gibt sehr viele Wörter vorne mit **Z**.
Wir sind bald am **Z**IEL. Das ist echt **z**iemlich nett.
Ä wie **Ä**PFEL, **Ü** wie **Ü**BER – und das **Ö** kommt gleich.
Vielleicht seh'n wir uns mal in **Ö**STERREICH?
In der Wörterstraße, das kann ich euch sagen,
müsst ihr einfach nach Alpha Betti fragen.
Ich hoffe, ihr kommt. Und wir fangen dann
mit dem Buchstabieren wieder von vorne an.
A wie Anfang, B wie Bitte, …

4   Laute – gleich oder verschieden?

1 _3   a | Hören Sie immer drei Wörter und lesen Sie mit. In welchem Wort wird der fett markierte Buchstabe anders ausgesprochen als in den anderen beiden Wörtern? Markieren Sie.

essen – **e**cht – **eu**ch | **V**ogel – **V**okal – **V**ase | **S**onntag – **S**port – **S**uppe |
bitte – **B**lume – gel**b** | **C**abrio – **C**ola – **C**D | **r**ot – meh**r** - b**r**aun

b | Überprüfen Sie die Lösung und lesen Sie laut.

5   Wie viele Silben?

1 _4   a | Hören Sie und lesen Sie leise oder laut mit.

	Vokal	Konsonant	Silbe	buchstabieren	Phonetik	Alphabet	sprechen	markieren
●–●	X							
●–●–●								
●–●–●–●								

b | Hören Sie noch einmal und klopfen Sie die Silben mit. Markieren Sie dann die Silbenzahl.

c | Lesen Sie die Wörter laut. Suchen Sie dann noch mehr Wörter mit zwei, drei oder vier Silben.

2 Einfach ein Fach

Wichtige Regeln und Tipps

- In jedem Wort ist eine Silbe besonders betont (→ Wortakzent): *su* chen.
- In der betonten Silbe wird der Vokal (→ Akzentvokal) sehr deutlich gesprochen: *su* chen.
- Für den Wortakzent gibt es Regeln, z. B.:
  - Oft ist die Stammsilbe betont: *seh*en, *su*chen, ge*seh*en, Be*such*.
  - Manche Präfixe sind nie betont (ge*seh*en, Be*such*); manche Präfixe und Suffixe sind meistens betont (*un*freundlich, *Ur*sache, akzentu*ie*ren).
  - Zusammengesetzte Wörter sind meistens auf dem ersten Wortteil betont: *weg*sehen, *aus*suchen, *Fern*seher.
  - Einige Wörter unterscheiden sich nur durch den Wortakzent, z. B.: *Au*gust (Name) und Au*gust* (Monat).
- In Wörterbüchern ist oft der Akzentvokal in der betonten Silbe markiert: langer Vokal mit _ (*seh*en) und kurzer Vokal mit . (*Fern*seher).
- Betonte Silben sind deutlicher, lauter, langsamer und höher/tiefer als die anderen Silben. Wichtig: Betonte kurze Vokale nicht länger sprechen! Sie bleiben kurz: *Mitt*woch.

● - ● - Einfach!

1 So klingt es!

1 ● _5   **a |** So klingen betonte Silben: Hören Sie und lesen Sie mit.
Achten Sie auf die Akzentvokale (fett) in den schräg gedruckten Wörtern.

Eine Rede

Ich *seh*e es so. Wir dürfen nicht mehr *weg*sehen und wir dürfen nicht einfach *zu*sehen.
Sonst *seh*e ich schwarz. Das hat man im vorigen Jahr schon ge*seh*en. Das *sieh*t man
jeden Tag im *Fern*sehen. Und wenn Sie sich *um*sehen, meine Damen und Herren, *seh*en
Sie es an jeder Straßenecke. Nein, es ist nicht *un*sichtbar. *Seh*en Sie nur, wie es *aus*sieht!
Wir müssen uns *vor*sehen. *Seh*en Sie das nicht auch so? Na *seh*en Sie.

1 ● _6   **b |** Welche Silbe ist betont? Hören Sie und markieren Sie.

seh·en | weg·seh·en | zu·seh·en | ge·seh·en | Fern·seh·en | um·seh·en | un·sicht·bar |
aus·seh·en | vor·seh·en

1 ● _6   **c |** Vergleichen Sie mit der Lösung, hören Sie noch einmal und lesen Sie leise mit.

2 Tricks für den Wortakzent

a | Probieren Sie diese Tricks aus.

> ! Lernen Sie für jedes neue Wort den richtigen Wortakzent dazu. Sehen Sie bei unbekannten Wörtern in einem Wörterbuch nach und beachten Sie die Akzentvokale: lang mit _ / kurz mit . (l_esen, spr_echen)
>
> ! Summen Sie in Wörtern die betonte Silbe laut, die nicht betonte(n) leise:
> **HM**-hm (**seh** en)
>
> ! Sprechen Sie die betonte Silbe besonders laut, deutlich und sehr nachdrücklich.
>
> ! Klopfen Sie bei der betonten Silbe mit der Faust auf den Tisch oder machen Sie eine deutliche Handbewegung dazu.
>> ● – ● **HM**-hm   **seh** en

b | Lesen Sie die Wörter aus 1b laut. Verwenden Sie einen Trick aus 2a.

3 Vornamen von Jungen und Mädchen

1 🔘_7   a | Hören Sie die Namenspaare und lesen Sie leise mit. Achten Sie auf den Wortakzent (betonte Silbe).

Mi cha el [≠] Mi cha e la
Jo han nes [ ] Jo han na
An ton [ ] An to ni a
Ga bri el [ ] Ga bri e le
Ju li an [ ] Ju li a ne
An dre as [ ] An dre a

b | Hören Sie noch einmal und markieren Sie in jedem Namen die betonte Silbe (den Wortakzent).

c | Prüfen Sie: Werden beide Namen auf der gleichen Silbe betont (=) oder werden sie auf verschiedenen Silben betont (≠)?

d | Vergleichen Sie mit der Lösung und lesen Sie die Namenspaare laut. Machen Sie dabei Gesten für die betonten Silben.

4 Aus der Zeitung

1 🔘_8   a | Hören Sie und markieren Sie in den schräg gedruckten Wörtern die betonte Silbe (den Wortakzent) und den Akzentvokal: lang mit _ / kurz mit .

Der schöne *August* …

Und wieder war es *August*!

Bitte *wiederholen*!

Einfach? Nicht zu glauben!

Einladen und alle kommen!

Vormittag in der Schule!

b | Vergleichen Sie mit der Lösung und lesen Sie laut. Achten Sie auf den richtigen Wortakzent.

5 Wortfamilien

1 🔘_9   a | Hören Sie die Wörter aus der ersten Tabellenzeile mit dem Wortstamm (Stammsilbe) LEHR und markieren Sie den Akzentvokal (lang mit _ / kurz mit .).

Wortstamm	Nomen Singular (maskulin)	Nomen Singular (feminin)	Nomen Plural (feminin)	Verb (Infinitiv)	Verb (Partizip Perfekt)
LEHR	Lehrer	Lehrerin	Lehrerinnen	lehren	gelehrt
ARBEIT					
FAHR					
KAUF					
SPRECH					
HÖR					

b | Hören Sie noch einmal und sprechen Sie nach. (Vergleichen Sie vorher mit der Lösung.)

c | Schreiben Sie zu jedem Wortstamm die gesuchten Wörter in die Zeilen und markieren Sie in jedem Wort den Akzentvokal. Vergleichen Sie mit der Lösung und lesen Sie laut.

d | Schreiben Sie nach diesem Muster noch mehr Wörter, markieren Sie Wortakzente und Akzentvokale. Lesen Sie laut.

6 Wohnungs-Wörter-Spiel

a | Spielanleitung: Schreiben Sie die Wörter aus Tabelle 1 (Wohnungs-Wörter) auf Zettel und verteilen Sie sie an drei Lernergruppen. Jede Gruppe bekommt 12 Zettel.
Schreiben Sie auch die Aufgaben aus Tabelle 2 (Aufgaben) auf Zettel. Jede Lernergruppe zieht einen Zettel und überprüft, ob sie dazu passende Wörter hat. Welche Gruppe hat die meisten passenden Wörter?
Tipp: Benutzen Sie ein Wörterbuch. Dort ist meist der Wortakzent markiert.

1 _10 Markieren Sie in jedem Wort aus Tabelle 1 den Akzentvokal und vergleichen Sie mit der Lösung.
Hören Sie dann die Wörter und sprechen Sie nach.

Tabelle 1: Wohnungs-Wörter

Eingang	Wohnzimmer	einziehen	Altbau	Anzeige	Aufzug	Einbauküche	Miete	Fernseher
Rolltreppe	Hausmeister	Keller	möbliert	Büro	bequem	Gebäude	Adresse	Allee
Apartement	Balkon	besichtigen	Familie	Garage	Gardine	reparieren	renovieren	Batterie
Telefon	Bäckerei	dekorieren	finanzieren	installieren	interessant	reklamieren	Mobilität	organisieren

Tabelle 2: Aufgaben

Miete   *Batterie*

Bitte Wörter mit **Wortakzent auf der 1. Silbe** sammeln!	Bitte Wörter mit **Wortakzent auf der 2. Silbe** sammeln!	Bitte Wörter mit **Wortakzent auf der 3. oder 4. Silbe** sammeln!

b | Machen Sie ein neues Spiel, z. B. mit Wörtern aus dem Kursalltag und spielen Sie es.

7 In einer Ausstellung

1 _11 **a |** Hören Sie und sprechen Sie mit. Sprechen Sie die schräg gedruckten Wörter besonders deutlich und achten Sie auf den Wortakzent (fett).

A Da, das Bild. *Herrlich*!
B Ach nein, *hässlich*!

A So *modern*!
B Nein, *unmodern*!

A Sehr *farbenfroh*!
B Ich finde es *farblos*!

A Echt *optimistisch*!
B Nein, *traurig*!

A So *wertvoll*!
B Ach, *Unsinn*!

A Perfekt für mein *Wohnzimmer*!
B Nein, das passt in den *Keller*.

b | Lesen Sie den Dialog. Eine Lernergruppe übernimmt die Rolle A und spricht begeistert, die andere die Rolle B und spricht sehr nachdrücklich.

Lesen Sie laut (mit Gesten auf den Wortakzenten).

c | Spielen Sie die Szene mit Mimik und Gestik. Variieren Sie auch (z. B. andere Adjektive und Zimmer).

8 Sprechtheater

a | Schreiben Sie die Aussprüche auf Zettel. Ziehen Sie einen Zettel und markieren Sie den Akzentvokal.
Sprechen Sie dann drei Lernpartner mit Ihrem Ausspruch emotional an: *freundlich, arrogant, ärgerlich* oder
gelangweilt. Erkennen die anderen Ihre Emotion?

1 ●_12   Hören Sie alle Aussprüche zuerst *freundlich*, dann *ärgerlich* und sprechen Sie emotional nach.

| Moment! | Angenehm! | Bitte schön! | Danke schön! | Beeilung! |
| Endlich! | Entschuldigung! | Hervorragend! | Phänomenal! | Peinlich! |

b | Wählen Sie einen Sketch aus. Hören Sie mehrmals und markieren Sie in allen schräg gedruckten Wörtern
jeweils den Akzentvokal (lang mit _ / kurz mit .).

Erziehung 1 ●_13

A Bitte schön, dein *Wurstbrötchen*.
  Guten *Appetit*!
B Wurstbrötchen? Ich wollte ein *Käsebrötchen*!
A Hast du aber nicht *gesagt*.
B Doch, hab ich gesagt. Ich *sagte*, ich will ein
  Käsebrötchen.
A *(geht weg, kommt wieder)* Also hier hast
  du dein Käsebrötchen.
B Da ist *Schafskäse* drauf.
A Ja und?
B Ich esse keinen Schafskäse.
A Ich hab nur Schafskäse.
B Dann bitte ein *Marmeladenbrötchen*.
A *(geht weg, kommt wieder)* Hier: *Brötchen*,
  Marmelade, Butter! Mach es selbst.

Heute nicht! 1 ●_14

A *Beeilung*! Beeilung!
B *Warum*? *Wohin*?
A Wir müssen los. Zum *Konzert*.
B Heute ist *Mittwoch*.
A *Entschuldigung*! Ich weiß!
B *Phänomenal*!
A Los! *Aufstehen*! *Anziehen*! Beeilung!
B Nein.
A Nein? Wieso nein?
B Heute ist Mittwoch und das
  Konzert ist am *Donnerstag*.
A Na *hervorragend*!

c | Hören Sie noch einmal und sprechen Sie leise mit.

d | Proben Sie gemeinsam und spielen Sie Ihre Version vor. Wer macht es am schönsten?
Eine Jury bewertet Originalität und Aussprache (v. a. Wortakzente).

9 Kaufhaus-Rap

1 🔘_15 **a** | Hören Sie den Rap und lesen Sie den Text mit. Achten Sie besonders auf den Wortakzent in den schräg gedruckten Wörtern.

Es gibt eine ganz tolle Sache,
die ich sehr gerne mache.
Ich geh ins *Kaufhaus*
und geb mein Geld aus.
Ich geh *einkaufen*. Ich liebe *Einkaufen*.
Wenn ich im *Kaufhaus* bin,
kommt die *Verkäuferin*.
Und sie lächelt fein
und fragt: Was darf's sein?
Ich sage: *Einkaufen*. Ich liebe *Einkaufen*.

Ich *kaufe* viel zu viel.
Doch ich hab nur ein Ziel:
Ich möchte zu ihr geh'n
und will sie lächeln seh'n.
Drum geh ich *einkaufen*!
Ich liebe: *Einkaufen*!
Gekauft!

b | Sprechen Sie (im Chor und mit Mimik und Gestik) mit.

c | Was kaufen Sie im Kaufhaus ein? Bilden Sie Sätze. Achten Sie dabei auf richtige Wortakzente.

> Im Kaufhaus kaufe ich eine Bluse.

10 Ein Liebesgedicht

Was es ist

Es ist Unsinn, sagt die Vernunft.
Es ist, was es ist, sagt die Liebe.
Es ist Unglück, sagt die Berechnung.
Es ist nichts als Schmerz, sagt die Angst.
Es ist aussichtslos, sagt die Einsicht.

Es ist, was es ist, sagt die Liebe.
Es ist lächerlich, sagt der Stolz.
Es ist leichtsinnig, sagt die Vorsicht.
Es ist unmöglich, sagt die Erfahrung.
Es ist, was es ist, sagt die Liebe.

Erich Fried (*1921–†1988)

1 🔘_16 **a** | Hören Sie das Gedicht und lesen Sie den Text mit. Achten Sie auf den Wortakzent in mehrsilbigen Wörtern. Klären Sie unbekannte Wörter.

b | Hören Sie noch einmal – schließen Sie dabei die Augen. Welche Gefühle haben Sie?

c | Lesen Sie Zeile für Zeile. Experimentieren Sie: Variieren Sie den emotionalen Ausdruck, betonte Wörter und Melodie.

 d | Lesen Sie das Gedicht mit Mimik und Gestik vor. Sehen Sie die Zuhörer dabei an.

 Lesen Sie das Gedicht laut und machen Sie davon eine Tonaufnahme. Hören Sie sich Ihre Aufnahme danach kritisch an: Markieren Sie Fehler (v. a. bei den Wortakzenten) und üben Sie, bis Sie selbst mit dem Ergebnis zufrieden sind.

3 Im Rhythmus ●-●-●

Wichtige Regeln und Tipps

- Oft spricht man mehrere Wörter ohne Pausen dazwischen
  (→ Wortgruppe / rhythmische Gruppe): *Guten Tag.* → *GutenTag.*
- Sätze bestehen oft aus mehreren Wortgruppen. Dazwischen gibt es
  manchmal Pausen (/): *Sie **sag**te / guten **Tag**.*
- In jeder Wortgruppe ist ein Wort besonders betont: *Guten **Tag**.*
  Der Satzakzent ist oft in der letzten Wortgruppe: *Sie **sag**te / guten **Tag**.*
- Betont ist das Neue und Wichtige: *Gib mir **das** Buch.* Oder: *Gib mir das **Buch**.*
- Der Sprechrhythmus im Deutschen klingt etwas hart (staccato).
  Es gibt einen sehr starken Kontrast zwischen der betonten Silbe
  und den nicht betonten Silben.

RICHtiger RHYTHmus!

---

1 **So klingt es!**

_17 **a** | So klingt der Rhythmus. Hören Sie und lesen Sie leise mit. Achten Sie auf die betonten Silben (fett).

Rhythmischer Wochenplan

●-●-●	●-●-●-●-●-●-●
Am **Mon**tag	back ich einen **Ku**chen.
Am **Diens**tag	kommst du mich be**su**chen.
Am **Mitt**woch	koch ich Marmel**a**de.
Am **Frei**tag	trink ich Limo**na**de.
Am **Sams**tag	putz ich meine **Schuh**e.
Am **Sonn**tag	brauch ich etwas **Ruh**e.

●-●-●-●   ●-●-●-●-●

Und **don**nerstags?   Willst du das **hö**ren?
Da darf mich wirklich keiner stören!

_18 **b** | Hören Sie zweimal und lesen Sie zuerst leise, dann laut mit. Achten Sie auf Betonung und Rhythmus.

am **Mon**tag | am **Diens**tag | am **Mitt**woch | am **Frei**tag | am **Sams**tag | am **Sonn**tag

2 | Tricks für den richtigen Sprechrhythmus

a | Probieren Sie diese Tricks aus.

❗ Die Wörter in einer Wortgruppe sind wie eine Perlenkette.
Die betonte Silbe ist die größte Perle. Wir sprechen sie besonders laut
und deutlich: *Guten **Tag**.* ●-●-⬤

❗ Summen Sie zuerst den Rhythmus: *hm-hm-**HM*** ●-●-⬤ oder *hm-**HM**-hm-hm* ●-⬤-●-●

❗ Summen Sie und sprechen Sie dann: *hm-hm-**HM*** ●-●-⬤ *Guten **Tag*** oder
*hm-**HM**-hm-hm* ●-⬤-●-● *Auf **Wie**dersehn.*

❗ Machen Sie bei betonten Silben immer eine Geste, klopfen Sie z. B. auf den Tisch oder
klatschen Sie.

1 💿_18 b | Hören Sie und sprechen Sie die Beispiele aus 1b nach. Verwenden Sie einen Trick aus 2a.

3 | Gleiche und verschiedene Rhythmusmuster

1 💿_19 a | Hören Sie immer zwei Aussprüche. Summen Sie oder sprechen Sie leise mit. Achten Sie auf den Rhythmus.

Herzlich willkommen!	=	Schön, dass Sie da sind.
Nehmen Sie Platz!	☐	Wie geht es Ihnen?
Mir geht es gut.	☐	Alles perfekt!
Hören Sie mich?	☐	Ist es gut so?
Das gibt es doch nicht.	☐	Entschuldigen Sie.
Es geht jetzt gleich los.	☐	Es ist gleich vorbei.

b | Hören Sie noch einmal und markieren Sie in jedem Satz die betonte Silbe.

c | Prüfen Sie: Ist der Rhythmus in beiden Sätze gleich (=) oder verschieden (≠)?

d | Vergleichen Sie mit der Lösung und lesen Sie die Aussprüche mit Gesten laut.

4 Ein besonderer Tag

 1 _20 **a** Hören Sie und sprechen Sie leise mit. Achten Sie auf den Rhythmus.

Um fünf Uhr **fünfzig**   klingelte mein Wecker.   Um sechs Uhr zehn   stand ich auf.

Um sieben Uhr zehn   ging ich aus dem Haus.   Sieben Uhr dreißig   kam der Bus.

Um sieben Uhr fünfunddreißig   sah ich in deine Augen.

 1 _20 **b** Hören Sie noch einmal und markieren Sie in jeder Wortgruppe zuerst das betonte Wort, dann die betonte Silbe.

c Zeichnen Sie für jede Wortgruppe das Rhythmusmuster auf.

d Vergleichen Sie mit der Lösung und lesen Sie laut.

e Erzählen Sie nach diesem Muster von einem besonderen Tag. Achten Sie auf den Rhythmus.

5 Das nehme ich auf eine einsame Insel mit.

 1 _21 **a** Hören Sie und achten Sie auf die betonten Wörter in den Wortgruppen. Achtung: Am stärksten wird das Wort in der letzten Wortgruppe betont (Satzakzent).

Was nimmst du auf eine einsame Insel mit?
- Mein **Fahr**rad, / mein neues Harry-**Pot**ter-Buch / und <u>**Gum**</u>mibärchen.
- Mein **Han**dy, / meinen **Lap**top, / eine <u>**Haar**</u>bürste.
- Eine Tasche mit **Le**bensmitteln, / einen **Ku**gelschreiber / und einen <u>**Schreib**</u>block.
- Ein gutes **Buch**, / meine **Le**sebrille / und ein weiches <u>**Kopf**</u>kissen.

b Hören Sie noch einmal und sprechen Sie nach.

c Was nehmen Sie auf eine einsame Insel mit? Schreiben Sie drei Dinge auf einen Zettel. Sammeln Sie die Zettel ein, mischen und verteilen Sie sie. Jeder liest seinen Zettel vor. Die anderen raten, wem der Zettel gehört.

6 Kommentare

1 _22   a | Hören Sie die Kommentare und markieren Sie zuerst das betonte Wort, dann die betonte Silbe. Vergleichen Sie mit der Lösung.

⬤–•–⬤

Das ist **gut**!   Das ist ja toll!   Das ist ja unglaublich!   Einfach verrückt!

Das glaub ich nicht!   Das ist ja Wahnsinn!   Das ist schön!   Das ist ja super!

b | Zeichnen Sie für jeden Kommentar das passende Rhythmusmuster.

 c | Schreiben Sie die Kommentare auf Kärtchen und verteilen Sie sie. Jeder liest sein Kärtchen vor.

1 _22   Hören Sie die Beispiele aus der Tabelle noch einmal, lesen Sie mit und sprechen Sie nach.

 d | Nun spricht eine Person über ein Thema: z. B. *Mein Sonntag*. Die anderen reagieren spontan mit Ihrem Kommentar vom Zettel.

> Am Sonntag war ich mit meiner Schwester im Kino.

> Das ist ja toll!

7 Ich sag's deutlich!

1 _23   a | Hören Sie und sprechen Sie erst leise und dann laut mit. Betonen Sie immer nur ein Wort pro Satz.

Komm! | Komm **her**! | Komm mal **her**! | Komm mal bitte **her**! | Komm doch mal bitte **her**! |

Geh! | **Geh** doch! | **Geh** doch endlich! | **Geh** doch endlich mal! | **Geh** doch bitte endlich mal!

 b | Überzeugen Sie Ihre Lernpartnerin / Ihren Lernpartner mit den Sätzen aus a. Sprechen Sie nachdrücklich und mit Mimik und Gestik.

c | Üben Sie auch mit anderen Sätzen: ***Bleib** doch! **Hilf** doch! Geh **weg**! Halt **an**!*

d | Wiederholen Sie die Szenen. Aber nun reagiert der andere mit: Nein! *Nein, ich will nicht! Niemals!* Spielen Sie die Szenen *ärgerlich, bittend, traurig, …*

8 Sprechtheater

1 _24

a | Hören Sie die Sätze mit verschiedenen Betonungen, lesen Sie mit und sprechen Sie nach.

Sprechen Sie einen gewählten Satz mit der angegebenen Betonung. Die anderen zeigen mit den Fingern den gehörten Satz: 1, 2, 3, 4 oder 5? (Sie können auch andere Speisen einsetzen.)

1. **Ich** finde deinen Apfelkuchen meistens sehr lecker.
2. Ich finde **dei**nen Apfelkuchen meistens sehr lecker.
3. Ich finde deinen **Ap**felkuchen meistens sehr lecker.
4. Ich finde deinen Apfelkuchen **meis**tens sehr lecker.
5. Ich finde deinen Apfelkuchen meistens **sehr** lecker.

b | Wählen Sie einen Sketch aus. Hören Sie ein Muster und markieren Sie zuerst in den schräg gedruckten Sätzen **Wort**gruppenakzente, **Satz**akzente und Pausen (/).

Im Restaurant   1 _25

A *Guten Tag*. Was darf ich Ihnen bringen?
B *Zwei Stück **Quark**torte, / eine Tasse **Kaf**fee / und einen **Erd**beersaft.*
A Oh, tut mir leid. Erdbeersaft ist alle.
B *Dann zwei Kaffee.*
A Ja, aber nur schwarz.
B Was?
A Ich meine den Kaffee. *Wir haben keine Milch mehr.*
B Na gut, dann zwei Kaffee ohne Milch und zwei Stück Quarktorte.
A Die Quarktorte ist leider alle.
B *Dann bitte Apfelkuchen.*
A Apfelkuchen gibt's nur sonntags.
B *Dann nur Kaffee.*
A Gut, zwei Tassen Kaffee, schwarz.
C *(ruft)* Kaffee ist alle!
A *Tut mir leid! Kaffee ist auch alle!*

Sprichwörter   1 _26

A Ich bin überhaupt nicht zufrieden mit dir. Du machst nichts im Haushalt. Wir müssen reden.
B *Reden ist Silber, Schweigen ist Gold.*
A Du interessierst dich für nichts.
B Nichts wird so heiß gegessen, wie man es kocht.
A Du verschläfst den ganzen Tag.
B *Man soll den Tag nicht vor dem Abend loben.*
A Du gehst nicht einmal mehr aus dem Haus.
B *Wenn die Katze aus dem Haus ist, tanzen die Mäuse.*
B *Hörst du mir überhaupt zu?*
A Zum einen Ohr hinein, zum anderen Ohr heraus.
B *Jetzt habe ich aber genug!*
A Genug ist genug!
B *Du sagst es. Ich gehe!*

c | Hören Sie noch einmal und sprechen Sie leise mit.

d | Proben Sie gemeinsam und spielen Sie Ihre Version vor. Wer macht es am schönsten? Eine Jury bewertet Originalität und Aussprache (v. a. Rhythmus und Satzakzente).

9 „Wie geht's dir?"-Rap

1 _27 **a** | Hören Sie den Rap und lesen Sie den Text mit. Achten Sie auf den Rhythmus.

Guten Tag. Schönes Wetter. Wie geht es dir?
Das hör ich so oft, wenn ich kommunizier'.
Ich sag dann: Es geht. Nur mein Hund ist krank.
Es regnet durchs Dach. Hab kein Geld auf der Bank.
Dann krieg ich zu hören: Ach, das hat nichts zu sagen.
Jeder hat doch sein Päckchen zu tragen.
Auf wen kann man sich heute noch verlassen?
Jeder denkt nur an sich. Es ist gar nicht zu fassen.
Du sagst, du hast schon viel mitgemacht?
Wenn das schon alles ist, dann gute Nacht.
Weißt du, dass ich stets die Wahrheit sag?
Und du wünschst mir nur einen schönen Tag.
Und jedermann sagt: Nimm's doch bloß nicht so schwer.
Hört mal, ich mag das alles nicht mehr.
Mit diesem Lied sag ich's euch nun allen.
Ich lasse mir das jetzt nicht mehr gefallen.
Und wie es euch geht, ist mir wirklich egal.
Zum Kuckuck mit euch! Ihr könnt mich mal!

b | Sprechen Sie (im Chor und mit Mimik und Gestik) mit.

10 Ein Wir-Gedicht

Schauder

Jetzt bist du da, dann bist du dort.
Jetzt bist du nah, dann bist du fort.
Kannst du's fassen? Und über eine Zeit

gehen wir beide die Ewigkeit
dahin – dorthin. Und was blieb? …
Komm, schließ die Augen, und hab mich lieb!

Christian Morgenstern (*1871–†1914)

1 _28 **a** | Hören Sie das Gedicht und lesen Sie den Text mit. Achten Sie auf den Rhythmus. Klären Sie unbekannte Wörter.

b | Hören Sie noch einmal – schließen Sie dabei die Augen. Welche Gefühle haben Sie?

c | Lesen Sie Zeile für Zeile. Experimentieren Sie: Variieren Sie Emotionen, Betonungen und Melodie.

 d | Lesen Sie das Gedicht mit Mimik und Gestik vor. Sehen Sie die Zuhörer dabei an.

 Lesen Sie das Gedicht laut und machen Sie davon eine Tonaufnahme. Hören Sie sich Ihre Aufnahme danach kritisch an: Markieren Sie Fehler (v.a. bei betonten Wörtern und Silben) und üben Sie, bis Sie selbst mit dem Ergebnis zufrieden sind.

4 Mit Melodie ↗ ↘ →

Wichtige Regeln und Tipps

Pausen:

- An Satzzeichen (. , ? ! :) und vor *und* sind meistens Pausen.
- Auch zwischen Wortgruppen sind Pausen möglich: *Sie **sagt** / guten **Tag**.*

Melodie:

- Die Melodie zeigt, ob der Satz zu Ende ist oder ob er noch weiter geht.
  Sie zeigt auch Emotionen an.
- Es gibt drei Melodieformen:
  - ↗ Die Melodie steigt am Ende an,
    z. B. in freundlichen Aussagen und Fragen:
    *Sie **kommt** nicht?* ↗.
  - ↘ Die Melodie fällt am Ende sehr stark,
    z. B. in sachlichen Aussagen und Fragen:
    *Sie **kommt** nicht.* ↘.
  - → Die Melodie bleibt fast gleich vor Pausen:
    *Sie **kommt** nicht,* → *weil es **regnet**.*
    Am Ende von Sätzen wirkt diese Melodieform
    oft unsicher.

Hoch? ↗ Runter! ↘

1 So klingt es!

1 💿 _29   So klingt die Melodie: Hören Sie und lesen Sie mit.
Achten Sie auf die Melodie.

Alles eingepackt für den Urlaub?

↗

A Zwei Pullover?	B Ja. Zwei Pullover.
A Ein Hemd?	B Ein Hemd. Ist da.
A Eine Krawatte?	B Eine Krawatte. Ist auch da.
A Die blaue Hose?	B Die blaue Hose. Hier.
A Zahnbürste und Zahnpasta?	B Zahnbürste und Zahnpasta. Alles drin.

↘

A Also: Zwei Pullover, → ein Hemd, → eine Krawatte, → die blaue Hose,
→ Zahnpasta → und Zahnbürste. ↘ Perfekt! ↘

2 Tricks für Pausen und Melodie

a | Probieren Sie diese Tricks aus.

Pausensetzung:

❗ Markieren Sie in geschrieben Texten mögliche Pausen:
Zwei Pullover, / ein Hemd, / eine Krawatte, / die blaue Hose, / Zahnpasta und Zahnbürste.

❗ Lesen Sie alle Wörter zwischen den Pausen zusammen. Achten Sie dabei auch auf die Betonung: *einHemd / undeineHose.*

Melodie:

❗ Überlegen Sie zuerst, welches Wort Sie in einer Wortgruppe betonen wollen.

❗ Dann zeichnen Sie mit der Hand in der Luft die Melodie nach. Die betonte Silbe ist am höchsten oder tiefsten. Sprechen Sie:

1 💿_30 b | Hören Sie, lesen Sie mit und sprechen Sie nach. Verwenden Sie für die Melodie den Trick aus a.

Die blaue **Ho**se. ↘ – Die blaue **Ho**se? ↗　　Zwei Pull**o**ver. ↘ – Zwei Pull**o**ver? ↗
Eine gelbe **Blu**se. ↘ – Eine gelbe **Blu**se? ↗　　Meine **Schuh**e. ↘ – Meine **Schuh**e? ↗

3 Sätze mit kleinen Unterschieden

1 💿_31 a | Hören Sie von jedem Satzpaar aus 2b jeweils einen Satz und markieren Sie ihn. Lesen Sie dann laut.

1 💿_32 b | Hören Sie die Satzpaare und markieren Sie die Pausen (/) in jedem Satz.

1. Peter grüßt die Lehrerin nicht.　　　　Peter grüßt, / die Lehrerin nicht.
2. Die Lehrerin hilft, Peter nicht.　　　　Die Lehrerin hilft Peter nicht.
3. Anna verspricht mir, jeden Tag zu helfen.　　Anna verspricht, mir jeden Tag zu helfen.
4. Es lohnt sich nicht, mehr zu arbeiten.　　Es lohnt sich, nicht mehr zu arbeiten.

1 💿_33 c | Hören Sie und unterstreichen Sie von jedem Satzpaar den gehörten Satz.

d | Vergleichen Sie mit der Lösung. Lesen Sie zuerst die gehörten Sätze und dann die Satzpaare laut. Machen Sie dabei Gesten.

4 Gespräche auf dem Klassentreffen

1 _34   a | Hören Sie und tragen Sie die Melodiepfeile (↗ oder ↘) ein. Ergänzen Sie dann die Satzzeichen . oder ?

- Maria hat voriges Jahr geheiratet . ↘
- Sie hat geheiratet
- Und sie studiert jetzt in Dresden
- Peter wohnt in Stuttgart
- Chris ist umgezogen
- Das glaube ich nicht

- Maria hat ihn im Supermarkt getroffen
- In München
- Der Chris sieht immer noch ganz toll aus
- Er hat jetzt ganz kurze Haare
- Ja ja, der Chris ist nett
- Noch ein Bier

b | Vergleichen Sie mit der Lösung und lesen Sie laut.

5 Rätsel

a | Schreiben Sie die Rätsel aus der Tabelle auf Zettel und verteilen Sie sie. Jeder markiert zuerst in seinem Rätsel Pausen (/) und Melodie → ↘ und übt die Aussprache.

Markieren Sie in den Rätseln Pausen (/) und Melodie → ↘.

Was ist das?

Es ist klein bei einem Kamel, → aber groß bei einer Mücke. ↘	Es steht zwischen Berg und Tal.	Es hängt an der Wand und gibt jedem die Hand.
Es hat keinen Mund, aber es spricht alle Sprachen.	Jeder will es werden, aber keiner will es sein.	Ich gebe sie dir, aber sie bleibt doch bei mir.
Vor dem Waschen ist es sauber, aber nach dem Waschen ist es schmutzig.	Der Tag fängt damit an und die Nacht hört damit auf.	Es sind Schuhe, aber sie haben keine Sohlen.

Lösungen:
der Buchstabe *M* – das Handtuch – das Wort *und* –
meine Hand – die Handschuhe –
der Buchstabe *T* – das Echo – das Wasser – Alt.

b | Jeder trägt sein Rätsel spannend vor. Beginnen Sie immer mit *Was ist das?* Achten Sie auf die Melodie (wie in der Sprechblase). Wer die Antwort weiß, ist als Nächster dran.

1 _35   Hören Sie die Rätsel, lesen Sie mit und sprechen Sie nach.

Was ist das? ↘
Es ist klein bei einem Kamel, →
aber groß bei einer Mücke. ↘

6 Sprechtheater

a | Sprechen Sie den Satz *unsicher*, *spannend* oder *neugierig* (mit Mimik und Gestik). Achten Sie auf Pausen und Melodie. Erkennen die anderen die Emotion?

1 ●_36

Hören Sie den Satz einmal *unsicher*, einmal *spannend und* einmal *begeistert*, und sprechen Sie emotional nach.

> In diesem Zoo gibt es vier Affen, zwei Tiger und sogar einen Elefanten.

b | Experimentieren Sie auch mit anderen Sätzen: Was gibt es noch im Zoo, im Kaufhaus, in der Stadt, …?

c | Wählen Sie einen Sketch aus. Hören Sie ein Muster. Tragen Sie an den Satzzeichen Melodiepfeile ein: ↗ ↘ →.

d | Hören Sie noch einmal und sprechen Sie leise mit.

Vergessen   1 ●_37

AB (fahren im Zug)

A Urlaub ist schön. ↘ Ich freu mich so.
   Du auch?

B Ja, aber ich hab so ein komisches Gefühl.
   Hoffentlich haben wir nichts vergessen.
   Haben wir die beiden Koffer mit?

A Die zwei Koffer sind hier.

B Und die Regenschirme?

A Die Regenschirme sind auch hier.

B Hast du die Fenster zugemacht?

A Die Fenster habe ich natürlich zugemacht.
   Und die Tür habe ich auch abgeschlossen.

B Und das Geld?

A Hier ist das Portmonee. Alles in Ordnung.

C *(Schaffner)* Die Fahrkarten bitte!

A Oh, oh …

B Was ist los?

A Die Fahrkarten … Die liegen zu Hause
   auf dem Tisch.

Schuhe   1 ●_38

A Guten Tag. Sie wünschen?

B Ich möchte ein Paar Schuhe.

A Ja gern. Und was für welche?
   Halbschuhe oder Stiefel?

B Einfach Schuhe. Ich bin da nicht so
   wählerisch. Verstehen Sie?

A Also gut, ich zeige Ihnen mal ein paar.
   Diese hier zum Beispiel?

B Nein, die sind braun. Ich möchte
   lieber schwarze Schuhe.

A Natürlich. Dann vielleicht diese?
   Die sind wirklich sehr elegant.

B Nein, die haben so flache Absätze.
   Ich möchte welche mit hohen Absätzen.

A Und wie gefallen Ihnen diese hier?

B Ach nein. Die sind vorn so spitz.

A Diese sind rund. Wie wär's damit?

B Also, sie haben ja überhaupt nichts
   Vernünftiges. Mir reicht's. Ich gehe!

e | Proben Sie gemeinsam und spielen Sie Ihre Version vor. Wer macht es am schönsten?
Eine Jury bewertet Originalität und Aussprache (v.a. Pausen und Melodie).

5 Maße oder Masse?

Laute und Buchstaben

lang		kurz		lang		kurz	
[aː] **a** M**a**ße **ah** S**ah**ne	**aa** St**aa**t	[a] **a** M**a**sse		[oː] **o** **O**fen **oh** **oh**ne	**oo** Z**oo**	[ɔ] **o** **o**ffen	
[eː] **e** R**e**gen **eh** s**eh**en	**ee** B**ee**t	[ɛ] **e** B**e**tt **ä** N**ä**chte		[uː] **u** Br**u**der **uh** R**uh**m		[ʊ] **u** R**u**m	
[ɛː] **ä** K**ä**se **äh** **äh**nlich				[øː] **ö** sch**ö**n **öh** S**öh**ne		[œ] **ö** k**ö**nnen	
[iː] **i** Berl**i**n **ih** **ih**n	**ie** b**ie**ten **ieh** V**ieh**	[ɪ] **i** b**i**tten		[yː] **ü** m**ü**de **üh** M**üh**e	**y** t**y**pisch	[ʏ] **ü** k**ü**ssen **y** **Y**psilon	

Wichtige Regeln und Tipps

- Es gibt lange und kurze Vokale. Man erkennt Länge und Kürze manchmal an der Schreibweise.
- Kurze Vokale sind ungespannt. Lange Vokale sind meistens gespannt. Nur langes [ɛː] (z.B. in *Käse*) ist ungespannt.
- Es gibt lange betonte Vokale (*Dienstag*) und kurze betonte Vokale (*Mittwoch*). Auch unbetonte Vokale können lang sein (*Dienstag*).
- Manche Wörter unterscheiden sich nur durch die Vokallänge: *Maße – Masse*.

1 So klingt es!

 a So klingen lange und kurze Vokale: Hören Sie und lesen Sie mit.
Achten Sie auf die Akzentvokale (fett) in den schräg gedruckten Wörtern.

Vokale

Vokale sind mal kurz, mal lang. Drum achte stets auf den richtigen Klang!
Du sagst zum Ober: „*Bitte* ein Bier!" Und sofort kommt er und bringt es dir.
Sagst du aber: „*Biete* ein Bier!", dann fragt man dich: „Und was willst du dafür?"
Ruhm ist für viele ein großes Ziel. Doch mit viel *Rum* wird daraus nicht viel.
Anna *Schmidt* ist nett und bescheiden, doch Anna *Schmied* kannst du nicht leiden.
Drum fragst du lieber Anna *Schmidt:* „Sag, kommst du *in* den Urlaub mit?"
Nun denke stets an den Vokal: Sprich *ihn* richtig! Jedes Mal!

1 _40 b | Hören Sie die Wortpaare zweimal und lesen Sie zuerst leise, dann laut mit. Achten Sie auf lange Vokale (_) und kurze Vokale (.).

M**aß**e – M**a**sse	b**ie**te – b**i**tte	sch**ie**f – Sch**i**ff	W**e**g – w**e**g
St**aa**t – St**a**dt	**ih**n – **i**n	B**ee**t – B**e**tt	R**uh**m – R**u**m

2 Tricks für lange und kurze Vokale

a | Probieren Sie diese Tricks aus.

> ! **Lange Vokale:** Machen Sie beim Sprechen eine weite Handbewegung und sprechen Sie das *a* sehr lang und deutlich: *Maaaße*.
>
> ! **Kurze Vokale:** Machen Sie beim Sprechen eine ganz kurze Handbewegung und sprechen das *a* ungespannt und etwas undeutlich: *Ma̧sse*.

1 ⊙_40 b | Hören Sie und sprechen Sie die Wörter aus 1b nach. Verwenden Sie die Tricks aus 2a.

3 Wörter mit kleinen Unterschieden

1 ⊙_41 a | Hören Sie und unterstreichen Sie von jedem Wortpaar aus 1b das gehörte Wort.

b | Vergleichen Sie mit der Lösung. Lesen Sie zuerst die gehörten Wörter und dann die Wortpaare laut. Machen Sie dabei Gesten für lange und kurze Vokale.

4 Aus Gesprächen

1 ⊙_42 a | Hören Sie und ergänzen Sie die fehlenden Wörter.

- ▪ Guten Tag, Herr *Schmidt*. *(Schmied / Schmidt)*

  Hier ist ____! *(Mahn / Mann)*

- ▪ Wie groß ist denn das ____? *(Beet / Bett)*

  Bitte geben Sie auch die ____ an. *(Maße / Masse)*

- ▪ Sie müssen auf dem Formular noch ____ und ____ angeben. *(Staat / Stadt)*

  ▫ ____ und ____ in Ordnung. *(Staat / Stadt)*

- ▪ Was sagen Sie? ____? ▪ Ich meine: ____! *(Ofen / offen)*

b | Vergleichen Sie mit der Lösung. Hören Sie noch einmal und sprechen Sie nach.

  c | Üben Sie weiter: Einer liest seine Satzvarianten vor, die anderen ergänzen. Vergleichen Sie anschließend.

5 Wo ist was?

 1 _43   **a** | Hören Sie die Nomen aus der Tabelle (A und B) und markieren Sie die Akzentvokale: lange Vokale mit _ und kurze Vokale mit .

b | Vergleichen Sie mit der Lösung und lesen Sie laut.

 c | Kopieren Sie die Tabelle und schneiden Sie die Kärtchen aus. Bilden Sie zwei Gruppen: Gruppe A bekommt die Was?-Kärtchen und Gruppe B die Wo?-Kärtchen. Jemand aus Gruppe A fragt z. B. *Wo ist meine Tasse?* Aus Gruppe B antwortet jemand, der ein Nomen mit gleichem Akzentvokal hat.

A: Wo ist meine Tasse?

B: Deine Tasse? Die ist im Schrank.

A: Was?				B: Wo?			
Tasse	Ball	Tafel	Rad	Wald	Schrank	Straße	Schlafzimmer
Geld	Heft	Keks	Lehrbuch	Fensterbrett	Bett	See	Dresden
Kiste	Bild	Brille	Brief	Kinderzimmer	Disco	Tisch	Briefkasten
Postkarte	Rock	Dose	Hose	Koffer	Sportplatz	Zoo	Wohnzimmer
Puppe	Buch	Schuhe	Uhr	Bus	Zug	Flur	Schule

6 Sprechtheater

 1 _44   **a** | Hören Sie die Wörter und markieren Sie die Vokallänge der Akzentvokale: lang _ / kurz .
Vergleichen Sie mit der Lösung und lesen Sie vor.

 Hören Sie noch einmal und sprechen Sie nach.

Wörter

Ball	Regal	Tomate	Bett
Sekt	Tee	Fisch	Bier
Rose	Dose	Kuss	Buch

1 _45   b | Hören Sie die Reime und sprechen Sie nach. Achten Sie auf die Vokallänge in den schräg gedruckten Wörtern.

Reime

Ich will keinen *Ball*. Auf gar keinen *Fall*!	Nein, nicht das *Regal*! Das ist viel zu *schmal*.	Bitte keine *Tomate*! Die ist für *Beate*.
Ich brauche kein *Bett*. Gib es lieber *Babett*.	Ich will keinen *Sekt*, weil der mir nicht *schmeckt*.	Ich will keinen *Tee*. Mein Hals tut nicht *weh*.
Ich will keinen *Fisch*. Der ist nicht mehr *frisch*.	Ich möchte kein *Bier*. Ist noch Cola *hier*?	Ich will keine *Rose*. Gib mir lieber die *Dose*.
Ich such keine *Dose*. Wo ist meine *Hose*?	Ich will keinen *Kuss*. Ich mach mit dir *Schluss*.	Ich möchte kein *Buch*. Gib mir lieber das *Tuch*.

    c | Schreiben Sie die Wörter auf Zettel, ziehen Sie einen Zettel und üben Sie. A fragt z.B. *Willst du ein Bier?* B lehnt humorvoll ab und antwortet mit dem passenden Reim aus der Reimtabelle.

> Willst du ein *Bier*?

> Ich möchte kein *Bier*. Ist noch Cola *hier*?

1 _46   d | Hören Sie den Sketch und sprechen Sie leise mit.

Nein, das nicht!

A Willst du ein Bier?
B Ich möchte kein Bier. Ist noch Cola hier?
A Möchtest du vielleicht Tee?
B Ich will keinen Tee. Mein Hals tut nicht weh!
A Und ein Glas Sekt?
B Ich will keinen Sekt, weil der mir nicht schmeckt.
A Vielleicht eine Tomate?
B Bitte keine Tomate! Die ist für Beate.
A Oder einen Fisch?
B Ich will keinen Fisch, der ist nicht mehr frisch!
A So, mir fällt nichts mehr ein …
B Ach weißt du, lass es doch sein!

    e | Spielen Sie den Sketch. Verwenden Sie auch andere Reime: *Flasche – Tasche, Rock – Block,* …
Eine Jury bewertet Originalität und Aussprache (v. a. lange und kurze Vokale).

6 Sehr gern!

Laute und Buchstaben					Wichtige Regeln und Tipps
lang			**kurz**		▪ Es gibt lange und kurze E-Laute. Man erkennt Länge und Kürze manchmal an der Schreibweise.
[eː]	**e** Regen **eh** sehen	**ee** Beet	[ɛ]	**e** nett **ä** Nächte	▪ [eː] ist lang / gespannt, [ɛː] ist lang / ungespannt und [ɛ] ist kurz / ungespannt.
[ɛː]	**ä** Käse **äh** wählen				▪ Man darf [eː] *(Beeren)* nicht wie [ɛː] *(Bären)* sprechen.

1 So klingt es!

1 _47 **a** | So klingen E-Laute: Hören Sie und lesen Sie mit. Achten Sie auf die Akzentvokale (fett).

Anrufbeantworter

Guten Tag, hier ist der Anschluss **e**lf – s**e**chs – z**eh**n. Sie wollen P**e**ter spr**e**chen? Mom**e**nt, ich s**eh**e nach … H**e**! P**e**ter!!! … Nein, **e**r ist nicht da. Danke für das n**e**tte Gespr**ä**ch! Rufen Sie sp**ä**ter wieder an. Auf Wieders**eh**en!

1 _48 **b** | Hören Sie zweimal und lesen Sie zuerst leise und dann laut mit. Achten Sie auf die E-Laute.

1. [ɛ]   **e**lf | s**e**chs | n**e**tt | spr**e**chen
2. [eː]   z**eh**n | **e**r | s**eh**en | P**e**ter
3. [ɛː]   sp**ä**ter | Gespr**ä**ch

2 Tricks für den langen E-Laut [eː]

a | Probieren Sie diesen Trick aus.

Lächeln Sie mit breiten Lippen und sagen Sie fröhlich: *Heee!* Sprechen Sie *e* ganz lang. Mit diesem Lächeln sprechen Sie nun: *Heee! – z**eh**n!*

1 _48 **b** | Hören Sie die Wörter in 1b mit kurzem und langem E-Laut noch einmal und sprechen Sie nach. Verwenden Sie für den langen E-Laut den Trick aus a.

3 Wörter mit kleinen Unterschieden

1 _49   a | Hören Sie, achten Sie auf die Unterschiede und sprechen Sie nach.

E-Laute

1. [eː] – [ɛ]   B**ee**t – B**e**tt | W**e**g – w**e**g | d**e**n – d**e**nn
2. [ɛː] – [ɛ]   w**äh**len – W**e**llen | T**ä**ler – T**e**ller
3. [ɛː] – [eː]   B**ä**ren – B**ee**ren | (Herr) M**äh**ler – (Herr) M**eh**ler

I- und E-Laute

4. [iː] – [eː]   s**ie** – S**ee** | w**i**r – w**e**r | l**ie**ben – l**e**ben
5. [ɪ] – [ɛ]   b**i**tten – B**e**tten | St**i**lle – St**e**lle

1 _50   b | Hören Sie und unterstreichen Sie von jedem Wortpaar das gehörte Wort.

c | Vergleichen Sie mit der Lösung. Lesen Sie zuerst die gehörten Wörter und dann die Wortpaare laut. Machen Sie dabei Gesten für lange und kurze Vokale.

4 Buchstaben-Rätsel

1 _51   a | Hören Sie fünfmal jeweils drei Wörter. Kreuzen Sie das Kästchen an, wenn Sie ein Wort mit langem E-Laut [eː] hören. Welchen Buchstaben sehen Sie am Ende?

	Wort 1	Wort 2	Wort 3
1	X		
2			
3			
4			
5			

Beet

1 _51   b | Hören Sie noch zweimal. Schreiben Sie beim ersten Mal nur die Wörter mit langem E-Laut [eː] und beim zweiten Mal alle Wörter mit kurzem E-Laut [ɛ] auf.

[eː] └─────────────────────────┘   [ɛ] └─────────────────────────┘

c | Lesen Sie alle Wörter aus b laut.

d | Machen Sie nach diesem Muster selbst ein Buchstaben-Rätsel mit E-Wörtern und probieren Sie es mit Ihren Lernpartnern aus.

5 E-Brettspiel

a | Spielanleitung: Würfeln Sie reihum. Rücken Sie mit Ihrer Spielfigur immer so viele Felder vor, wie der Würfel anzeigt. Lösen Sie die Aufgabe zu der Zahl auf Ihrem Feld.
Varianten: a.) Lösen Sie nur einfache Aufgaben. b.) Lösen Sie schwierige Aufgaben (*).
Kontrollieren Sie gegenseitig die Aussprache der E-Laute. Wer ist zuerst am Ziel?

Lösen Sie die Aufgaben 1–20 unter dem Spielfeld. Sprechen Sie die Wörter laut.

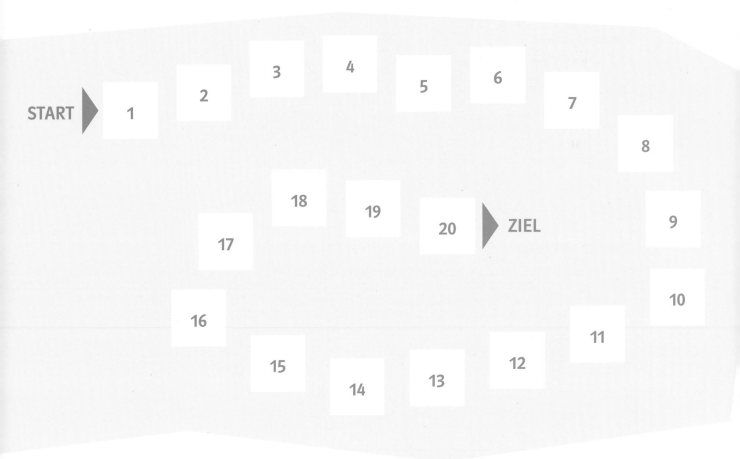

1. ein Verb mit langem [e:]
2. zusammengesetztes Nomen mit *fern* *
3. ein Adjektiv mit langem [e:]
4. Was reimt sich auf *sehen*? *
5. ein Wort mit *ee*
6. zusammengesetztes Nomen mit *Regen* *
7. ein Verb mit *äh*
8. ein Tier mit E-Laut *
9. ein Wort mit *eh*
10. Was reimt sich auf *Tee*? *

11. eine Zahl mit kurzem [ɛ]
12. Plural von *Rad* *
13. ein Artikel mit [e:]
14. Diminutiv von *Tasse* *
15. ein Name mit E-Laut
16. ein Lebensmittel mit langem [e:] *
17. ein Nomen mit langem [e:]
18. Plural von *Apfel* *
19. ein Wort mit kurzem E-Laut
20. eine deutsche Stadt mit langem E-Laut *

b | Spielen Sie das Brettspiel wie in a. Schreiben Sie sich dabei alle genannten Wörter auf. Erzählen Sie mit den Wörtern eine Geschichte. Eine Jury bewertet Originalität und Aussprache der E-Laute.

6 Wer tut das gern?

a | Schreiben Sie die Sätze aus der Tabelle auf Zettel und verteilen Sie sie an alle. Jeder liest seine Frage vor und fragt vier Lernpartner (wie in der Sprechblase). Wer bekommt die meisten Ja-Antworten?

> Wer lernt gern? Eva, lernst du gern?

1 💿_52

Hören Sie die Sätze und markieren Sie bei den E-Lauten (fett) die Vokallänge.

b | Vergleichen Sie mit der Lösung. Hören Sie noch einmal und sprechen Sie nach.

1 💿_52

Wer redet gern?	Wer isst gern Äpfel?	Wer fährt gern Rad?	Wer lernt gern?
Wer geht gern tanzen?	Wer isst gern Käse?	Wer steht gern früh auf?	Wer trinkt gern Tee?
Wer schläft gern lange?	Wer isst gern Erdbeeren?	Wer geht gern spazieren?	Wer fährt gern ans Meer?

7 Lebensweisheiten?

a | Kopieren Sie die Satzteile oder schreiben Sie sie auf Zettel und verteilen Sie sie.
Jemand mit einem A-Satzteil beginnt den Satz und jemand mit passendem B-Satzteil ergänzt.

Was passt zusammen? Verbinden Sie bitte.

A:	B:
Bei schlechtem Regenwetter	wird nicht schnell vergessen.
Auf der ganzen Welt	schmecken sehr lecker.
Ein leckeres Essen	gehören zum Leben.
Tritt dir jemand auf den Zeh,	zählt oft nur das Geld.
Ein bequemes Bett	auf all deinen Wegen.
Tut der Bauch sehr weh,	ist es oft zu Hause netter.
Nehmen und geben	gefällt den meisten Menschen sehr.
Plätzchen vom Bäcker	ist besonders nett.
Mehr Sonne als Regen	tut es meistens schrecklich weh.
Urlaub am Meer	trink Kamillentee.

b | Markieren Sie alle langen E-Laute [e:] und alle kurzen E-Laute [ɛ] (fett) mit verschiedenen Farben.

1 💿_53   **c** | Hören Sie die Sätze und sprechen Sie nach.

> Auf der ganzen Welt …   … zählt oft nur das Geld.

d | Sagen Sie eine Lebensweisheit zu einem Lernpartner. Sprechen Sie emotional mit Mimik und Gestik.

8 Sprechtheater

a | Schreiben Sie die Wörter auf Zettel und verteilen Sie sie. Sprechen Sie Ihr Wort *genervt* wie im Muster (mit Mimik und Gestik).

1 💿_54   Hören Sie die Aussprüche und sprechen Sie *genervt* nach.

> *Regen, Regen, immer nur Regen!*

| Regen! | Lesen! | Reden! | Nähen! | Rennen! |
| Geben! | Nehmen! | Denken! | Lernen! | Sprechen! |

b | Wählen Sie einen Sketch aus. Hören Sie und markieren Sie alle langen und gespannten E-Laute [eː].

c | Hören Sie noch einmal und sprechen Sie leise mit.

Lecker? 1 💿_55

A Herr Ober, hallo, heee! Also jetzt habe ich schon zehnmal Erdbeertorte bestellt.

B Ja, bei so großen Mengen dauert es leider immer etwas länger, mein Herr.

A Hallo Ober, in meinem Salat kriecht ein Regenwurm herum.

B Na ja, Regenwürmer kriechen eben. Sollte er vielleicht mit Ihnen reden?

Regen, Regen, ... 1 💿_56

A Jetzt regnet es schon den ganzen Tag. Regen, Regen, immer nur Regen.

B Wie spät ist es eigentlich?

A Zehn vor zehn!

B So spät? Mal sehen, was im Fernsehen so läuft.

A Ach Fernsehen, Fernsehen! Warum reden wir nicht mal über was oder gehen ins Kino?

B Na gut, reden wir. Und worüber?

A Also, so ein Tag ... Es regnet und regnet.

B Und kalt ist es. Es ist kalt und es regnet.

A Genau. Es regnet seit Stunden.

B Seit früh um zehn.

A Und jetzt ist es abends um zehn und es regnet immer noch. Im Fernsehen kommt jetzt gleich der Wetterbericht.

B Dann schalt mal ein. Mal sehen, ob es morgen auch noch regnet.

d | Proben Sie gemeinsam und spielen Sie Ihre Version vor. Wer macht es am schönsten? Eine Jury bewertet Originalität und Aussprache (v. a. E-Laute).

9 Regen-Rap

1 _57 a | Hören Sie den Rap und lesen Sie den Text mit. Achten Sie auf die E-Laute.

b | Sprechen Sie (im Chor und mit Mimik und Gestik) mit.

Seit Tagen gibt's nur Regen
auf Plätzen, Straßen, Wegen.
   Menschen geh'n schnell und stumm
drehen sich gar nicht um.
Wollen nur schnell nach Haus,
sehen sehr traurig aus.
Denkt ihr, ich mag den Regen?
   Von wegen!

Auf Sonne will ich warten,
dann geh ich in den Garten.
   Will seh'n, wie's den Erdbeer'n geht
in meinem Erdbeerbeet,
seh mir die Äpfel an,
die ich bald pflücken kann.
Was für ein schönes Leben!
   Na eben!

c | Wie finden Sie Regenwetter und warum? Bilden Sie Sätze und sprechen Sie sie laut.

Regen finde ich herrlich!

10 Gedicht über das Leben

Im Nebel

Seltsam, im Nebel zu wandern!
Einsam ist jeder Busch und Stein,
Kein Baum sieht den andern,
Jeder ist allein.

Voll von Freunden war mir die Welt,
Als noch mein Leben licht war;
Nun, da der Nebel fällt,
Ist keiner mehr sichtbar.

Wahrlich, keiner ist weise,
Der nicht das Dunkel kennt,
Das unentrinnbar und leise
Von allen ihn trennt.

Seltsam, im Nebel zu wandern!
Leben ist Einsamsein.
Kein Mensch kennt den andern,
Jeder ist allein.

Hermann Hesse (*1877 – †1962)

1 _58 a | Hören Sie das Gedicht und lesen Sie den Text mit. Achten Sie auf die E-Laute. Klären Sie unbekannte Wörter.

b | Hören Sie noch einmal – schließen Sie dabei die Augen. Welche Gefühle haben Sie?

c | Lesen Sie Zeile für Zeile. Experimentieren Sie: Variieren Sie Emotionen, Betonungen und Melodie.

d | Lesen Sie das Gedicht mit Mimik und Gestik vor. Sehen Sie die Zuhörer dabei an.

Lesen Sie das Gedicht laut und machen Sie davon eine Tonaufnahme. Hören Sie sich Ihre Aufnahme danach kritisch an: Markieren Sie Fehler (v. a. bei E-Lauten) und üben Sie, bis Sie selbst mit dem Ergebnis zufrieden sind.

7 So gut!

Laute und Buchstaben				Wichtige Regeln und Tipps
O-Laute		**U-Laute**		
[o:] lang	[ɔ] kurz	[u:] lang	[ʊ] kurz	
o **O**fen oh S**oh**n oo Z**oo**	o **o**ffen	u g**u**t uh **Uh**r	u b**u**nt	

- Es gibt lange und kurze O- und U-Laute. Man erkennt Länge und Kürze manchmal an der Schreibweise.
- Bei langen, gespannten O- und U-Lauten sind die Lippen sehr rund und nach vorn gestülpt.
- Man darf O- und U-Laute nicht verwechseln:
  ***Oh**r - **Uh**r.*

So gut!

1 | So klingt es!

1 _59   **a** | So klingen O- und U-Laute: Hören Sie und lesen Sie mit. Achten Sie auf die Akzentvokale (fett).

Geschichte vom O und vom U

An einem M**o**ntag im J**u**ni traf das **O** das **U**. „Grüß G**o**tt!", sagte das **O** **u**nd nahm höflich den H**u**t v**o**m K**o**pf. „Hall**o**!", rief das **U**. Es k**o**nnte aber keinen H**u**t v**o**m K**o**pf nehmen, weil es keinen hatte. „War**u**m hast du keinen H**u**t?", fragte das **O**. „Das ist d**o**ch **u**nhöflich!" „Entsch**u**ldigung, antwortete das **U**, „aber ich bin sch**o**n **oh**ne H**u**t geb**o**ren. Ich hatte n**o**ch nie einen H**u**t."

Nachdenklich gingen beide weiter. „Das arme **U**", dachte das **O**. „**Oh**ne H**u**t! Was für ein Leben!" Auch das **U** machte sich große S**o**rgen: „Armes **O** ... M**u**ss immer n**u**r mit einem H**u**t auf dem K**o**pf her**u**mlaufen!" Danach sahen sie sich nie wieder. **U**nd vielleicht war das auch ganz g**u**t s**o** ...

1 _60   **b** | Hören Sie zweimal und lesen Sie zuerst leise und dann laut mit. Achten Sie auf die O- und U-Laute.

1. [o:] gr**o**ß | s**o** | **oh**ne | M**o**ntag
2. [ɔ] n**o**ch | K**o**pf
3. [u:] H**u**t | g**u**t | J**u**ni | d**u**
4. [ʊ] **u**nd | r**u**nd

2 Tricks für O- und U-Laute

a | Probieren Sie diese Tricks aus.

> ! **Lange O- und U-Laute:** Machen Sie die Lippen rund (z. B. wie beim Pfeifen oder Küssen). Kontrollieren Sie die Lippenrundung in einem Spiegel. Sprechen Sie mit runden Lippen: *Oh*r, *Uh*r.
>
> ! **Kurze O- und U-Laute:** Sprechen Sie zuerst ein Wort mit langem, gespannten O- oder U-Laut, dann mit kurzem, ungespannten O- oder U-Laut: *O*fen – *o*ffen; *R*uh*m – R*u*m. (Achtung: Lippen gespannt bei langem Vokal, Lippen locker bei kurzem Vokal!)

1 🔘_60   b | Hören Sie und sprechen Sie die Wörter aus 1b nach. Verwenden Sie einen Trick aus 2a.

3 Wörter mit kleinen Unterschieden

1 🔘_61   a | Hören Sie, achten Sie auf die Unterschiede und sprechen Sie nach.

1. [oː] – [ɔ]   **O**fen – **o**ffen | **S**o**h**len – s**o**llen
2. [uː] – [ʊ]   **R**u**h**m – R**u**m | (Herr) Kr**uh**l – (Herr) Kr**u**ll
3. [oː] – [uː]   Ch**o**r – K**u**r | gr**o**ß – Gr**u**ß | **Oh**r – **Uh**r | Z**oo** – z**u**
4. [ɔ] – [ʊ]   B**o**ss – B**u**s | Schl**o**ss – Schl**u**ss

1 🔘_62   b | Hören Sie und unterstreichen Sie von jedem Wortpaar das gehörte Wort.

c | Lesen Sie zuerst die gehörten Wörter und dann die Wortpaare laut. Machen Sie dabei Gesten für lange und kurze Vokale.

4 Bitte eine Fahrkarte nach ...

1 🔘_63   a | Hören Sie, wohin die Personen reisen wollen. Ergänzen Sie die Buchstaben: *O / o* oder *U / u?*

- Vier Fahrten nach M *u* nster.
- Einmal B⎵⎵nn bitte.
- Eine Fahrkarte nach B⎵⎵rna.
- Ich möchte nach S⎵⎵lingen.
- Hin und zurück nach G⎵⎵ben.
- Nach K⎵⎵blenz bitte.

- Nach ⎵⎵lm.
- P⎵⎵lsnitz, hin und zurück.
- Bitte nach B⎵⎵chum.
- Zweimal nach F⎵⎵lda.
- Einmal nach ⎵⎵schatz, bitte.
- Nach S⎵⎵ltau.

1 _63 b | Hören Sie noch einmal und markieren Sie bei den ergänzten O- und U-Lauten die Vokallänge: lang mit _, kurz mit .

c | Vergleichen Sie mit der Lösung und lesen Sie laut. Achten Sie auf die Aussprache der O- und U-Laute.

 d | Suchen Sie die Orte auf der Landkarte und sagen Sie, in welchem Bundesland sie liegen, z. B.: *Munster liegt in Niedersachsen.*

e | Wer findet die meisten Städtenamen in Deutschland, Österreich und der Schweiz mit O / o oder U / u? Prüfen Sie: Werden die O- und U-Laute lang oder kurz gesprochen?

5 O-Labyrinth

a | Beginnen Sie in der Mitte bei *Rose* und verbinden Sie alle Wörter mit einem langen O-Laut mit einer Linie. In welcher Stadt kommen Sie an: in *Koblenz, Solingen, Bochum* oder *Bonn*?

Koblenz	Hobby	Schloss	Kopf	sportlich	kosten	Solingen
kommen	so	Cola	Opa	Oma	Montag	Monat
Post	schon	kochen	Sommer	noch	Torte	Sonntag
Kartoffel	Hose	morgen	Rose →	Sohn	Ohr	Stock
Onkel	oben	Socken	sonnig	Sorge	Zoo	morgens
Rock	rot	Obst	Vogel	Brot	groß	voll
Bochum	Ort	oft	sonst	Koffer	Tochter	Bonn

b | Vergleichen Sie mit der Lösung und lesen Sie alle Wörter auf Ihrer Linie laut.

 c | Schreiben Sie die Wörter aus der Tabelle in a auf Zettel und verteilen Sie sie. Erzählen Sie eine gemeinsame Geschichte. Einer beginnt und verwendet sein Wort in einem Satz, dann ist der Nächste dran usw.

6 Am Sonntag

1 _64 a | Hören Sie die Beispiele aus der Tabelle und markieren Sie in den Nomen in der zweiten Tabellenspalte die Vokallänge (fett markiert): lang _ / kurz .

Wohin?	in den **Zoo**, zum Sp**o**rt, zum F**u**ßball, zum H**u**ndespielplatz, zur **O**ma, zum S**o**mmerfest, zu **U**lla, zu S**u**si
Was gibt es zum Essen?	T**o**rte, K**u**chen, **O**bst, Br**o**t, S**u**ppe, W**u**rst , N**u**delsalat, Kart**o**ffeln
Wer kommt zu Besuch?	**O**nkel, S**o**hn, M**u**tter, Br**u**der, T**o**chter, **O**pa, **U**do, Frau K**u**nze

b | Sagen Sie, was M**o**na, K**o**nni, R**u**di und **U**lli am Sonntag machen. Die fett markierten Vokale in den Wörtern müssen zum Akzentvokal im Namen passen.

M**o**na   K**o**nni

R**u**di   **U**lli

Am Sonntag geht M**o**na in den Z**oo**. Sie isst …

1 🔊_64 Hören Sie die Beispiele aus der Tabelle noch einmal, lesen Sie mit und sprechen Sie nach.

c | Suchen Sie noch mehr Beispiele (z. B. *Essen, Trinken,* …) und markieren Sie die Vokallänge.

7 Einkaufen

 a | Schreiben Sie die Nomen aus der Tabelle auf Zettel. Jeder zieht drei Zettel und markiert zuerst auf seinen Zetteln O- und U- Laute (lang mit _ / kurz mit .).

Honig	Torte	Cola	Obst	Kuchen	Kartoffeln
Zitrone	Brot	Butter	Wurst	Nudeln	Suppe

 Markieren Sie in den Nomen O- und U-laute (lang mit _ / kurz mit .) und vergleichen Sie mit der Lösung.

b | Rufen Sie Ihrer Lernpartnerin / Ihrem Lernpartner zu, was sie / er einkaufen soll. Ihre Lernpartnerin / Ihr Lernpartner notiert. Hat sie / er alles richtig aufgeschrieben?

Honig, Brot, …!

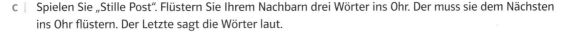

 c | Spielen Sie „Stille Post". Flüstern Sie Ihrem Nachbarn drei Wörter ins Ohr. Der muss sie dem Nächsten ins Ohr flüstern. Der Letzte sagt die Wörter laut.

1 🔊_65 Hören Sie die Wörter und sprechen Sie nach.

 d | Schreiben Sie noch mehr Wörter mit O- und U-Lauten auf Zettel (z. B. *Kleidungsstücke*) und üben Sie wie in Aufgabe b.

8 Sprechtheater

1 🔘_66 **a** | Hören Sie die Aussprüche. Klingen sie *neutral* oder *begeistert*? Kreuzen Sie an.

	So!	Gut!	Na gut!	Komisch!	Ach so!	Toll!	Oh!	Super!	Also gut!	Nanu?
neutral										
begeistert										

b | Hören Sie noch einmal und sprechen Sie emotional nach.

c | Wählen Sie einen Sketch aus. Hören Sie und markieren Sie alle langen (_) O- und U- Laute.

d | Hören Sie noch einmal und sprechen Sie leise mit.

K<u>o</u>misch 1 🔘_67

A Guck mal, dort!
B Wo? Wo denn?
A Na dort oben! Toll, oder?
B Ach so … Oh! Super!
A Das ist so komisch!
Kuh Was ist komisch?
B Eine Kuh auf dem Baum.
 Und die Kuh spricht auch noch.
Kuh Soll ich vielleicht hier oben Motor-
 rad fahren, oder was?

Zum Z<u>oo</u>! 1 🔘_68

A Entschuldigung. Wie komme ich zum Zoo?
B Zu Fuß oder mit dem Auto?
A Mit dem Auto.
B Mit dem Auto … So, so! Wo steht denn Ihr
 Auto?
A Dort, vor dem Postamt.
B Vor dem Postamt? Ist es der rote Opel?
A Ja genau.
B Oh!
A Oh? Wieso?
B Sieht komisch aus. Ein rotes Auto …
A Äh, sagen Sie mal … Ich wollte eigentlich
 nur wissen, wie ich zum Zoo komme.
B Ach so … Also gut! Am besten zu Fuß.
A Nach rechts, nach links oder geradeaus …?
B Woher soll ich denn das wissen?
A Na toll!

 e | Proben Sie gemeinsam und spielen Sie Ihre Version vor. Wer macht es am schönsten?
 Eine Jury bewertet Originalität und Aussprache (v.a. O- und U-Laute).

9 Uhren-Rap

1 ⊙_69 a | Hören Sie den Rap und lesen Sie den Text mit.

b | Sprechen Sie (im Chor und mit Mimik und Gestik) mit.

Sie zeigen Minuten und Stunden
und ticken im Takt der Sekunden.
Und es kommt mir so vor:
Uhren ticken im Chor.

Uhren ticken im Rhythmus,
wo jeder Mensch mit muss.
Und ich wünsche mir nur
eine langsame Uhr.

Ja …
Große Uhren, kleine Uhren,
Armbanduhren, Taschenuhren, …
Auch die große Turmuhr
tickt im gleichen Takt nur,
tickt im gleichen Takt nur.

Doch …
Große Uhren, kleine Uhren,
Armbanduhren, Taschenuhren, …
Auch die große Turmuhr
tickt im gleichen Takt nur,
tickt im gleichen Takt nur.

Sie ticken exakt
im selben Takt, Takt, Takt, …

10 Ein Wort-Gedicht

Wort an Wort
Wir wohnen
Wort an Wort

Sag mir
dein liebstes
Freund

meines heißt
DU

Rose Ausländer (*1901 – †1988)

1 ⊙_70 a | Hören Sie das Gedicht und lesen Sie den Text mit. Achten Sie auf O- und U-Laute.
Klären Sie unbekannte Wörter.

b | Hören Sie noch einmal – schließen Sie dabei die Augen. Welche Gefühle haben Sie?

c | Lesen Sie Zeile für Zeile. Experimentieren Sie: Variieren Sie Emotionen, Betonungen und Melodie.

d | Lesen Sie das Gedicht mit Mimik und Gestik vor. Sehen Sie die Zuhörer dabei an.

Lesen Sie das Gedicht laut und machen Sie davon eine Tonaufnahme. Hören Sie sich Ihre Aufnahme
danach kritisch an: Markieren Sie Fehler (v. a. bei O- und U-Lauten) und üben Sie, bis Sie selbst mit dem
Ergebnis zufrieden sind.

8 Schöne Grüße!

Laute und Buchstaben				Wichtige Regeln und Tipps
Ö-Laute		Ü-Laute		
[ø:] lang	[œ] kurz	[y:] lang	[ʏ] kurz	
ö sch**ö**n **öh** fr**öh**lich	**ö** k**ö**nnen	**ü** s**üß** **üh** fr**üh** **y** t**y**pisch	**ü** h**ü**bsch	

- Es gibt lange und kurze Ö- und Ü-Laute. Man erkennt Länge und Kürze manchmal an der Schreibweise.
- Man darf Ö-Laute nicht wie O- oder E-Laute und Ü-Laute nicht wie U- oder I-Laute sprechen: *sch**ö**n – sch**o**n, k**ö**nnen – k**e**nnen; M**ü**tter – M**u**tter, k**ü**ssen – K**i**ssen.*

Eee-Ööö-Schön!

1 So klingt es!

1 _71   **a** | So klingen Ö- und Ü-Laute: Hören Sie und lesen Sie mit.
Achten Sie auf die Akzentvokale (fett).

Schöne Reise

W**ü**rzburg, M**ü**nchen, K**ö**ln und Kiel sind ein sch**ö**nes Reiseziel.
Auch nach Z**ü**rich, Wien und Bern reisen wir nat**ü**rlich gern.
Doch wer war schon mal in W**ö**rlitz, G**ü**strow, G**ü**tersloh und G**ö**rlitz?
Schaut euch die h**ü**bschen Städte an. – Viele Gr**üß**e und bis dann!

1 _72   **b** | Hören Sie zweimal. Lesen Sie zuerst leise und dann laut mit. Achten Sie auf die Ö- und Ü-Laute.

1. [ø:] sch**ö**n | fr**öh**lich
2. [œ] K**ö**ln | G**ö**rlitz
3. [y:] Gr**üß**e | nat**ü**rlich | Z**ü**rich
4. [ʏ] M**ü**nchen | h**ü**bsch

2 Tricks für Ö- und Ü-Laute

   a | Probieren Sie diese Tricks aus.

! **Ö-Laute** (vom E-Laut zum Ö-Laut): Zuerst runden Sie die Lippen. Dann sprechen Sie:
*l**e**sen* → Wir hören *l**ö**sen*.

! **Ü-Laute** (vom I-Laut zum Ü-Laut): Zuerst runden Sie die Lippen. Dann sprechen Sie:
*T**ie**r* → Wir hören *T**ü**r*.

1 _73   **b** | Hören Sie und sprechen Sie nach. Verwenden Sie die Tricks aus a.

1. l**e**sen → l**ö**sen | k**e**nnen → k**ö**nnen
2. T**ie**r → T**ü**r | K**i**ssen → k**ü**ssen

3 Wörter mit kleinen Unterschieden

1 🔘_74   a | Hören Sie, achten Sie auf die Unterschiede und sprechen Sie nach.

1. **kurz – lang**	[oː]–[œ] [yː]–[ʏ]	(Herr) M**öh**ler – (Herr) M**ö**ller | (Frau) W**öh**ner – (Frau) W**ö**nner | (Herr) M**üh**ler – (Herr) M**ü**ller | (Frau) Br**üh**ning – (Frau) Br**ü**nning
2. **E-Laute – Ö-Laute**	[ɛ]–[œ] [eː]–[oː]	k**e**nnen – k**ö**nnen | K**e**llner – K**ö**lner | l**e**sen – l**ö**sen
3. **I-Laute – Ü-Laute**	[ɪ]–[ʏ] [iː]–[yː]	K**i**ssen – k**ü**ssen | v**ie**r – f**ü**r | T**ie**r – T**ü**r
4. **O-Laute – Ö-Laute**	[ɔ]–[œ] [oː]–[oː]	T**o**chter – T**ö**chter | sch**o**n – sch**ö**n | V**o**gel – V**ö**gel
5. **U-Laute - Ü-Laute**	[ʊ]–[ʏ] [uː]–[yː]	M**u**tter – M**ü**tter | Br**u**der – Br**ü**der | T**ou**r - T**ü**r

1 🔘_75   b | Hören Sie und unterstreichen Sie von jedem Wortpaar das gehörte Wort.

c | Vergleichen Sie mit der Lösung. Lesen Sie zuerst die gehörten Wörter und dann die Wortpaare laut. Machen Sie dabei Gesten für lange und kurze Vokale.

4 Aus der Zeitung

1 🔘_76   a | Hören Sie und ergänzen Sie die fehlenden Buchstaben oder Wörter.

Sch⎵ö̆n gemacht! *(o/ö)*

Grünes S⎵ckchen verloren! *(ö/ä)*

Wer kann denn das l⎵sen? *(e/ö)*

Kinder k⎵nnen das noch nicht. *(e/ö)*

Nur ⎵ Kinder! *(vier/für)*

Ein Haus mit vielen T⎵ren ... *(ie/ü)*

Br⎵der nach 50 Jahren wieder gefunden. *(u/ü)*

Mit vielen K⎵ssen ... *(i/ü)*

M⎵tter und T⎵chter auf der Theaterbühne. *(u/ü und o/ö)*

Ein ⎵ ist Lotto-Millionär! *(Kellner/Kölner)*

b | Vergleichen Sie mit der Lösung und lesen Sie laut. Achten Sie auf die Aussprache der Ö- und Ü-Laute.

 c | Üben Sie weiter: Einer liest seine Variante der Schlagzeilen vor, die anderen ergänzen. Vergleichen Sie anschließend.

5 Ö- und Ü-Würfelspiel

a | Spielanleitung: Würfeln Sie reihum zweimal (einmal waagerecht für die Wortart und einmal senkrecht für das Wort) und sagen Sie das gesuchte Wort. Kontrollieren Sie gegenseitig, ob die Ö- und Ü-Laute richtig gesprochen sind.

Schreiben Sie die gesuchten Wörter in die Felder, markieren Sie die Vokallänge der Ö- und Ü-Laute (lang _ / kurz .).

⚀	⚁	⚂	⚃	⚄	⚅
Plural von …?	Plural von …?	Diminutiv von …?	Diminutiv von …?	Plural von …?	Adjektiv von …? *wörtlich*
⚀ der Kopf *die Köpfe*	die Tochter	die Hose	die Rose	der Sohn	das Wort
⚁ der Topf	der Block	der Rock	der Koffer	der Rock	der Osten
⚂ der Vogel	der Ton	der Topf	die Wolke	der Knopf	das Glück
⚃ das Buch	die Mutter	der Stuhl	der Fluss	die Tür	der Norden
⚄ der Bruder	der Stuhl	der Strumpf	der Bruder	der Fuß	die Person
⚅ der Hut	der Strumpf	der Knopf	der Vogel	das Wort	der Süden

b | Vergleichen Sie mit der Lösung und lesen Sie die Wörter laut.

c | Wiederholen Sie das Spiel und bilden Sie mit jedem gesuchten Wort einen Satz. Variante: Erzählen Sie mit jedem gesuchten Wort eine gemeinsame Geschichte. Alle Sätze müssen zusammenpassen.

6 Steckbriefe

 1 🔵_77 **a** | Hören Sie die Beispiele aus der Tabelle und markieren Sie die Vokallänge in der zweiten Tabellenspalte (fett): lang _ / kurz .

b | Stellen Sie die Personen vor (Steckbrief). Verwenden Sie dazu nur die angegebenen Informationen in der Tabelle. Die fett markierten Vokale müssen zum Akzentvokal im Namen passen.

 1 🔵_77 Hören Sie die Beispiele aus der Tabelle noch einmal, lesen Sie mit und sprechen Sie nach.

Herr M**ü**ller   Frau M**ö**ller   Frau M**öh**ler   Frau M**üh**ler

Wohnort	Göttingen, Düsseldorf, Döbeln, Zürich
Beruf	Köchin, Frisörin, Künstler, Gemüseverkäuferin
Lieblingsessen	Gemüse, Würstchen, Möhren, Törtchen
liebt besonders	Bücher, Vögel, Püppchen, seine / ihre Töchter
besondere Wünsche	den Führerschein machen, eine Reise nach Österreich, ein Wörterbuch, Glück in der Liebe

Herr Müller wohnt in Düsseldorf, er ist …

c | Suchen Sie noch mehr Beispiele *(Wohnorte, Lieblingsessen, …)* und markieren Sie die Vokallänge.

7 „Ich hab gehört …" – lauter Gerüchte

 a | Schreiben Sie die Angaben in der Tabelle auf Zettel und verteilen Sie sie. Jeder markiert zuerst auf seinem Zettel Ö- und Ü-Laute (lang mit _ / kurz mit .) und übt die Aussprache.

 Markieren Sie auf den Zetteln Ö- und Ü-Laute (lang mit _ / kurz mit .)

… spricht Französisch.	… möchte Köchin werden.	… isst fünf Brötchen zum Frühstück.	… hat grüne Strümpfe an.	… ist immer unpünktlich.
… lebt in Österreich.	… hat keinen Führerschein.	… kommt aus der Türkei.	… kennt Goethe.	… hat fünfzig Vögel zu Hause.
… steht sehr früh auf.	… lügt immer.	… war gestern beim Frisör.	… ist ein berühmter Künstler.	… kann Flöte spielen.

b | Vergleichen Sie mit der Lösung und lesen Sie laut (setzen Sie beliebige Namen ein).

c | Jeder liest seinen Zettel vor und setzt den Namen eines Lernpartners / einer Lernpartnerin ein. Die genannte Person sagt, ob das stimmt, und ist als nächste dran.

Ich hab gehört … Elisa spricht Französisch!

d | Erfinden Sie noch mehr Gerüchte. Benutzen Sie möglichst viele Ö- und Ü-Laute.

8 Sprechtheater

a | Schreiben Sie die Wörter auf Zettel und verteilen Sie sie. Sprechen Sie Ihr Wort in einer selbst gewählten Regieanweisung (mit Mimik und Gestik). Erraten die anderen Ihre Regieanweisung?

1 💿 _78 Hören Sie alle Wörter zuerst *geheimnisvoll* und dann *lustig* und sprechen Sie emotional nach.

Regieanweisungen:

Das mag ich sehr! | Das mag ich überhaupt nicht! | Das finde ich langweilig! | Das finde ich lustig! | Das finde ich traurig! | Das finde ich geheimnisvoll! | Das finde ich niedlich / süß!

Wörter:

Tüten	Vögel	Parfüm	Bücher	Hüte
Stöckelschuhe	Küsse	Flöten	Glühbirnen	Frühling

b | Wählen Sie einen Sketch aus. Markieren Sie die Vokallänge bei allen Ö- und Ü-Lauten (lang mit _/ kurz mit .)

c | Hören Sie noch einmal und sprechen Sie leise mit.

In der Tüte 1 💿 _79

A Was ist da in der Tüte?

B Pssst ... Möchtest du mal sehen? Hier ...

A Oh wie süß! Schön!

B Guck mal, es ist grün. Hübsch, nicht?

A Oh ja, wirklich hübsch. Das ist so süß.

C Hallo! Was ist da in der Tüte?

AB Pssst ... Möchtest du mal sehen? Na? Schön, oder?

C Schön? Das ist überhaupt nicht schön! Das ist blöd!

A Also du bist wirklich unhöflich!

B Du machst mich wütend!

C Hier, guckt mal in meine Tüte. Das ist schön! Das ist wirklich hübsch!

AB Ach nööö!

Vögel 1 💿 _80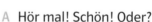

A Hör mal! Schön! Oder?

B *(liest)* Was?

A Hör doch mal. Die Vögel ... Schön!

B Ich hör nichts.

A Typisch! Du hörst ja nie was. Die Vögel ... Die singen so schön, so fröhlich!

B Vögel? Ich hör keine Vögel.

A Weißt du was? Du bist wirklich blöd!

B Und du störst! Ich möchte lesen. So!

A Und was liest du?

B Ein schönes Buch über Vögel!

A Natürlich! Typisch!

d | Proben Sie gemeinsam und spielen Sie Ihre Version vor. Wer macht es am schönsten? Eine Jury bewertet Originalität und Aussprache (v. a. Ö- und Ü-Laute).

9 „Ich wünsche mir . . .“-Geburtstagsrap

1 🔘_81 a | Hören Sie den Rap und lesen Sie den Text mit.

Mein lieber Freund, ich wünsche mir
überhaupt nicht viel von dir:
Nur fröhliche Worte
und ein Stück Torte,
ein Paar grüne Söckchen
und ein rotes Röckchen,
fünf schöne Bücher
und Taschentücher.

Und wenn du möchtest, schenke mir
dazu noch ein Stück Papier
mit einer großen Fünfzig drauf,
wovon ich mir was Schönes kauf.
Ach lass doch die Söckchen
und das rote Röckchen,
die fünf schönen Bücher,
die Taschentücher.
Schenk mir nur das Papier!
Und ich dank dir dafür!

b | Sprechen Sie (im Chor und mit Mimik und Gestik) mit.

c | Was wünschen Sie sich zum Geburtstag?

> Ich wünsche mir . . .

10 Ein Frühlingsgedicht

Der Frühling ist die schönste Zeit

Der Frühling ist die schönste Zeit!
Was kann wohl schöner sein?
Da grünt und blüht es weit und breit
Im goldnen Sonnenschein.
Am Berghang schmilzt der letzte Schnee,
Das Bächlein rauscht zu Tal,
Es grünt die Saat, es blinkt der See
Im Frühlingssonnenstrahl.

Die Lerchen singen überall,
Die Amsel schlägt im Wald!
Nun kommt die liebe Nachtigall
Und auch der Kuckuck bald.
Nun jauchzet alles weit und breit,
Da stimmen froh wir ein:
Der Frühling ist die schönste Zeit!
Was kann wohl schöner sein?

Annette von Droste-Hülshoff (*1797 – †1848)

1 🔘_82 a | Hören Sie das Gedicht und lesen Sie den Text mit. Achten Sie auf Ö- und Ü-Laute.
Klären Sie unbekannte Wörter.

b | Hören Sie noch einmal – schließen Sie dabei die Augen. Welche Gefühle haben Sie?

c | Lesen Sie Zeile für Zeile. Experimentieren Sie: Variieren Sie Emotionen, Betonungen und Melodie.

d | Lesen Sie das Gedicht mit Mimik und Gestik vor. Sehen Sie die Zuhörer dabei an.

Lesen Sie das Gedicht laut und machen Sie davon eine Tonaufnahme. Hören Sie sich Ihre
Aufnahme danach kritisch an: Markieren Sie Fehler (besonders bei Ö- und Ü-Lauten) und üben Sie,
bis Sie selbst mit dem Ergebnis zufrieden sind.

9 Laut, leise, deutlich!

Laute und Buchstaben			Wichtige Tipps
[aɛ̯]	**ei** kl**ei**n	**ai** M**ai**	• Es gibt drei Diphthonge aus jeweils zwei Vokalen.
	ey M**ey**er	**ay** M**ay**er	• Man muss immer beide Vokale nacheinander und ohne Pause dazwischen sprechen – also *E͜uropa* und nicht *E|uropa*
[aɔ̯]	**au** **au**ch	**ao** Kak**ao**	
		ow Cl**ow**n	• *ie* und *ei* darf man nicht verwechseln, denn *ei* ist ein Diphthong (*leid*) und
[ɔœ̯]	**eu** n**eu**	**äu** B**äu**me	*ie* zeigt einen langen I-Laut [i:] (*Lied*) an.

1 So klingt es!

1 🔊_83　a | So klingen Diphthonge: Hören Sie und lesen Sie mit. Achten Sie auf die Diphthonge (fett).

Deutsche Flüsse

W**ei**ßt du, an welchen großen Flüssen
d**eu**tsche Städte liegen müssen?
Ulm liegt an der Don**au**, Köln liegt am Rh**ei**n,
H**ei**lbronn liegt am Neckar und Frankfurt am M**ai**n.
Das ist **ei**nfach zu versteh'n – R**ei**me machen dir's bequem!

1 🔊_84　b | Hören Sie zweimal und lesen Sie zuerst leise und dann laut mit. Achten Sie auf die Diphthonge.

　1. [aɛ̯] **ei**nfach | R**ei**m　　　2. [aɔ̯] **au**ch | Don**au**　　　3. [ɔœ̯] d**eu**tsch | n**eu**

2 Tricks für Diphthonge

Probieren Sie diese Tricks aus.

! [aɛ̯] (Ei-Laut): Sprechen Sie bewusst einen A-Laut mit geöffnetem Mund. Dann schließen Sie langsam den Mund und sprechen dabei einen E-Laut oder I-Laut → *Ei*.

! [aɔ̯] (Au-Laut): Sprechen Sie bewusst einen A-Laut mit geöffnetem Mund. Dann runden Sie langsam die Lippen und sprechen dabei einen O-Laut oder U-Laut → *auch*.

! [ɔœ̯] (Eu-Laut): Runden Sie die Lippen und sprechen Sie einen ungespannten O-Laut. Dann runden Sie die Lippen noch etwas mehr und sprechen dabei einen Ö-Laut → *Euro*.

Achtung: Zwischen den beiden Vokalen der Diphthonge darf keine Pause sein! Kontrollieren Sie die Lippen mit einem Spiegel!

3 Wörter mit kleinen Unterschieden

1 ●_85　Hören Sie, achten Sie auf die Unterschiede und sprechen Sie nach.

1. [iː] – [aɛ̯]　*(ie – ei)*　s**ie** – s**ei** | L**ie**d – l**ei**d | n**ie** – n**ei**n | w**ie** – w**ei**l | Z**ie**le – Z**ei**le
2. [aɛ̯] – [aɔ̯]　*(ei – au)*　**Ei** – **Au**! | **Ei**s – **au**s | R**ei**m – R**au**m | R**ei**s - r**au**s
3. [aɔ̯] – [ɔœ̯]　*(au – eu / äu)*　**au**ch – **eu**ch | B**au**m – B**äu**me | H**au**s – H**äu**ser |
   　　　　　　　　　　　　　　　Tr**au**m – Tr**äu**me

4 Firmen und Geschäfte

1 ●_86　a | Hören Sie und ergänzen Sie die fehlenden Buchstaben: *ei, eu, äu, au*.

W⌷⌷nhandlung　　　H⌷⌷zöl　　　Spielz⌷⌷gladen

H⌷⌷sm⌷⌷ster　　　Werkz⌷⌷gb⌷⌷　　　⌷⌷towerkstatt

Geb⌷⌷der⌷⌷nigung　　　Fl⌷⌷scher⌷⌷　　　K⌷⌷fh⌷⌷s

R⌷⌷sebüro

b | Vergleichen Sie mit der Lösung und lesen Sie laut. Achten Sie auf die Diphthonge.

5 Einkaufen

a | Schreiben Sie die Wörter / Wortgruppen auf Zettel, markieren Sie die Diphthonge [aɛ̯], [aɔ̯] und [ɔœ̯] mit unterschiedlichen Farben und üben Sie die Aussprache.

1 ●_87

Hören Sie die Wörter / Wortgruppen und sprechen Sie nach.

Eis	Reis	Fleisch	Weißwein
drei Eier	eine Geige	ein Feuerzeug	eine Neujahrskarte
eine Werkzeugkiste	eine Zeitung	weiße Schokolade	zwei Bleistifte
ein Spielzeugauto	ein blaues Kleid	eine Deutschlandkarte	ein Kugelschreiber
ein Reiseführer	weißes Schreibpapier	ein kleines Flugzeug	eine kleine weiße Maus

b | Machen Sie mit den Wörtern / Wortgruppen ein Kettenspiel. Jeder fügt sein Wort vom Zettel hinzu.

> Ich kaufe Eis und Reis.

6 Träume

a | Schreiben Sie die Wörter / Wortgruppen auf Zettel. Jeder zieht einen Zettel und zeigt nur mit Mimik und Gestik, wovon er träumt (das, was auf seinem Zettel steht). Die anderen raten. Wer richtig geraten hat, ist als Nächster dran.

1 🔘_88

Hören Sie die Wörter / Wortgruppen und sprechen Sie nach.

ein großer Baum	ein neues Einfamilienhaus	neue Hausschuhe	weiße Mäuse	mein Freund
eine Schaukel	Schlittschuhlaufen	eine Nacht in der Bücherei	ein neues Auto	eine schöne Feier
eine Geige	meine Heimat	eine Hochzeit	ein neues Kleid	ein kleines Kind

Ich träume von …

Du träumst von einer Geige?

b | Suchen Sie noch mehr Beispiele mit Diphthongen und üben Sie.

7 Sprechtheater

a | Sprechen Sie das Wort *Nein* in einer der angegebenen Emotionen (mit Mimik und Gestik). Die anderen raten die Emotion.

1 🔘_89

Hören Sie das Wort *Nein* jeweils einmal *fröhlich, traurig, gelangweilt* und sprechen Sie emotional nach.

b | Gehen Sie im Raum herum und sagen Sie zu jeder Person *Nein!* oder *Nein, nein!* in verschiedenen Emotionen.

1 _90   c | Laut oder leise? Bilden Sie zwei Gruppen. Gruppe A übernimmt das Wort *laut*, Gruppe B übernimmt das Wort *leise*. Jede Gruppe versucht, die andere zu überzeugen. Hören Sie ein Muster.

Hören Sie das Laut-Leise-Duell und sprechen Sie leise mit.

Laut-Leise-Duell

Gruppe A: Laut!   Gruppe A: Nein! Lauter!

Gruppe B: Pssst ... Leise ...   Gruppe B: Leiser ....!

Gruppe A: Lauter!   Gruppe A: Lauter!

Gruppe B: Nein, leise ... leise ... leise ...   Gruppe B: Leiser!!!!!!!

8   Ein leises Gedicht

1 _91   a | Hören Sie das Gedicht und lesen Sie den Text mit. Achten Sie auf die Diphthonge. Klären Sie unbekannte Wörter.

Leise zieht durch mein Gemüt

Leise zieht durch mein Gemüt
Liebliches Geläute.
Klinge, kleines Frühlingslied.
Kling hinaus ins Weite.
Kling hinaus, bis an das Haus,
Wo die Blumen sprießen.
Wenn du eine Rose schaust,
Sag, ich laß sie grüßen.

Heinrich Heine (*1797 – †1856)

b | Hören Sie noch einmal – schließen Sie die dabei Augen. Welche Gefühle haben Sie?

c | Lesen Sie Zeile für Zeile. Experimentieren Sie: Variieren Sie den emotionalen Ausdruck, betonte Wörter und Melodie.

d | Lesen Sie das Gedicht mit Mimik und Gestik vor. Sehen Sie die Zuhörer dabei an.

Lesen Sie das Gedicht laut und machen Sie davon eine Tonaufnahme. Hören Sie sich Ihre Aufnahme danach kritisch an: Markieren Sie Fehler (v. a. bei Diphthongen) und üben Sie, bis Sie selbst mit dem Ergebnis zufrieden sind.

10 Bitte beginnen!

Laute und Buchstaben	Wichtige Regeln und Tipps
[ə] e- / -e **B**esuch**e**, seh**en**	• Der Schwa-Laut [ə] ist ungespannt und sehr kurz (reduziert).
Schwa fällt oft weg – in Verben 1. Person Singular: *ich hab*. – in der Endsilbe *-en*:	• Schwa spricht man in unbetonten Präfixen *be-*, *ge-* und Endungen *-e*, *-en*, *-em*, *-el*. Er darf nicht wie der E-Laut in *Allee* klingen.
[bm̩] Le**ben** [dn̩] re**den** [gŋ̍] lie**gen** [pm̩] Li**ppen** [tn̩] ra**ten** [kŋ̍] trin**ken** [fn̩] ru**fen** [ln̩] ho**len** [gl̩] Vo**gel**	• Schwa in der Endsilbe *-e* klingt anders als der vokalisierte R-Laut in *-er: bitt**e** – bitt**er**.*

Beginnen!

1 So klingt es!

1 🔘_92

So klingt der Schwa-Laut. Hören Sie und lesen Sie mit.
Achten Sie auf die Schwa-Laute (fett).

Umfrage: Ich hab**e** heut**e** sieb**en** Person**en** im Zug g**e**fragt, womit sie ihr**e** Zugfahrt zur Arbeit verbring**en**.
Das hab**en** sie g**e**sagt:

- Zeitung les**en**.
- Noch schnell frühstück**en**.
- Was ess**en** und Kaffee trink**en**.
- Schlaf**en**.
- Mit meiner Kollegin übers Woch**en**end**e** red**en**.
- Träum**en**.
- In mein Tag**e**buch schreib**en**.

2 Tricks für den Schwa-Laut [ə]

a | Probieren Sie diese Tricks aus.

❗ Sprechen Sie die betonte Silbe laut und gespannt und die unbetonte Silbe
   mit dem Schwa-Laut leise und ungespannt: **heu**-te, ge-**nu**g.
❗ Achten Sie darauf, dass in vielen Wörtern der Schwa-Laut in *-en* ganz wegfällt:
   stehen → stehn, reden → redę̶n, haben → habę̶n, trinken → trinkę̶n.

1 🔘_93 **b |** Hören Sie und sprechen Sie nach. Verwenden Sie für *Schwa* die Tricks aus a.

    1. [-ə] (-e)   heut**e** | hab**e** | bitt**e** | Tag**e**

    2. [ə-] (e-)   g**e**fragt | g**e**sagt | B**e**such | G**e**schenk

    3. [-ən] (-en)   steh**en** | träum**en** | sing**en** | hör**en**

    4. [-n̩] (-en)   red**e̷n** | hab**e̷n** | trink**e̷n** | les**e̷n**

3 Wörter mit kleinen Unterschieden

1 🔘_94 **a |** Hören Sie, achten Sie auf die Unterschiede und sprechen Sie nach.

    1. [ə] – [eː]   all**e** – All**ee** | Arm**e** – Arm**ee** | Weg**e** – WG

    2. [ə] – [ɐ]   jed**e** – jed**er** | kein**e** – kein**er** | sein**e** – sein**er** | Miet**e** – Miet**er**

    3. ohne [ə] – mit [ə]   Arm – Arm**e** | Bein – Bein**e** | Haar – Haar**e** | Heft - Heft**e**

    4. [ə] – [ən]   Blum**e** – Blum**en** | Zang**e** – Zang**en** | War**e** – War**en** | Näh**e** – näh**en**

1 🔘_95 **b |** Hören Sie und markieren Sie von jedem Wortpaar das gehörte Wort.

    c | Vergleichen Sie mit der Lösung. Lesen Sie zuerst die gehörten Wörter und dann die Wortpaare laut.

4 Aus der Werbung

1 🔘_96 **a |** Hören Sie und markieren Sie das gehörte Wort.

Echte / Echter Schinken – ein Genuss!

Ostsee – *Fische / Fisch*! Meine Welt, mein Geschmack!

Wirklich *leckere / leckerer* Kuchen! Da können Gäste kommen!

Bitte / Bitter -süß? Feine Bitter-Schokolade.

Heiße Tasse! Schnelle *Suppe / Suppen*!

Wein / Weine aus der Region – so delikat.

Back *ware / waren* von *Kuhn / Kuhne* finden Sie im Kühlregal.

Hemden, Hosen, Blusen, Röcke – hier gibt's neue *Ware / Waren*!

Spiel-Scholz / Spiele-Scholze – Spaß für die ganze Familie!

Musikalischer Moment! / Musikalische Momente! Die neue Yoko-CD.

    b | Vergleichen Sie mit der Lösung und lesen Sie laut. Achten Sie auf die Aussprache der Schwa-Laute.

1 🔘_96   Hören Sie noch einmal und sprechen Sie nach.

    c | Üben Sie weiter: Einer liest seine Variante der Werbesätze vor, die anderen ergänzen.
Vergleichen Sie anschließend.

5 Schwa-Laut-Würfelspiel

a | Spielanleitung: Würfeln Sie reihum zweimal (einmal waagerecht für die Wortart und einmal senkrecht für das Wort) und sagen Sie das gesuchte Wort. Kontrollieren Sie gegenseitig, ob die Schwa-Laute richtig gesprochen sind.

Schreiben Sie die gesuchten Wörter in die Felder. Vergleichen Sie mit der Lösung und lesen Sie laut.

	Plural von …	Nomen mit *Ge-* von …	1. Person Sing. von …	1. Person Pl. von …	Partizip Perfekt von …	Verb mit *be-* von …
⚀	der Tisch *die Tische*	trinken	backen	ich frage	machen	suchen
⚁	das Heft	schenken	beginnen	ich gehe	kommen	schreiben
⚂	der Stift	packen	suchen	ich singe	putzen	sprechen
⚃	der Brief	dichten	bleiben	ich höre	schreiben	stehen
⚄	der Film	fühlen	denken	ich koche	spielen	stellen
⚅	das Fest	denken	essen	ich lese	tragen	fürchten

beschreiben

b | Wiederholen Sie das Spiel und bilden Sie mit jedem gesuchten Wort einen Satz. Variante: Erzählen Sie mit jedem gesuchten Wort eine gemeinsame Geschichte. Alle Sätze müssen zusammenpassen.

> Die Tische sind gedeckt.

6 Lernen!

 2_1 **a** | Hören Sie die Wörter. Welches *e* in *-en* hören Sie nicht? Streichen Sie durch.

anfangen | aufpassen | zuhören | lernen | üben | nachdenken | fragen | verstehen | zeigen |
buchstabieren | markieren | schreiben | spielen | arbeiten | wiederholen | aufhören

b | Hören Sie noch einmal und sprechen Sie nach!

 c | Sprechen Sie die Verben nachdrücklich als Imperativ (mit Mimik und Gestik). Sehen Sie Ihre Lernpartner dabei an.

> Lernen!

 d | Sprechen Sie jetzt sehr freundlich und liebevoll. Beginnen Sie immer mit *Du sollst doch …*

> Du sollst doch lernen.

7 Alles Geschenke?

 2_2 **a** | Schreiben Sie die Sätze in der Tabelle auf Zettel und verteilen Sie sie. Jeder markiert auf seinem Zettel zuerst die Schwa-Laute und übt die Aussprache.

Ich besuche dich morgen!	Ich lese dir ein Gedicht vor.	Ich bestelle eine Pizza für dich!	Ich erzähle dir ein Märchen.	Ich wünsche dir Vergnügen.
Ich lade dich zum Essen ein.	Ich backe dir einen Kuchen.	Ich schicke dir ein Päckchen.	Ich gehe mit dir spazieren.	Ich gehe mit dir tanzen.
Ich gehe mit dir einkaufen.	Ich repariere deinen Computer.	Ich gehe mit dir schwimmen.	Ich schenke dir Blumen.	Ich gehe mit dir baden.

 b | Sagen Sie einer Person aus der Gruppe, was Sie für sie tun. Diese muss sich dafür bedanken (wie in der Sprechblase).

> Alexander, ich lese dir ein Gedicht vor!

> Oh, vielen, vielen Dank! Ich danke dir!

 Hören Sie die Sätze aus der Tabelle und sprechen Sie nach.

 c | Am Schluss berichten die Beschenkten, was Sie bekommen haben.

> Maria hat mir ein Gedicht vorgelesen.

8 | Sprechtheater

a | Schreiben Sie die Wörter auf Zettel. Ziehen Sie einen Zettel, kombinieren Sie das Wort mit *geheimnisvoll* und sprechen Sie emotional. Achten Sie darauf, dass Schwa in den Endungen *-en* und *-el* immer wegfällt.

2 _3

Hören Sie die Wörter in Kombination mit *geheimnisvoll* und sprechen Sie emotional nach.

der Himmel	der Regen	die Wolken	das Rätsel	der Nebel
die Augen	der Spiegel	die Klingel	das Leben	die Vögel

> Die Klingel …
> geheimnisvoll!

b | Wählen Sie einen Sketch aus. Hören Sie und streichen Sie nicht gesprochenes *e* in Endsilben durch.

c | Hören Sie und sprechen Sie leise mit.

Eine Jacke 2 _4

A Guten Morgen, Sie wünschen?

B Guten Morgen, ich möchte eine Hose kaufen.

A Welche Farbe?

B Keine Ahnung. Sie muss zu meiner Jacke hier passen.

A Die Jacke, die Sie anhaben? Zeigen Sie mal. Oh, die sieht bequem aus. Bequem und gemütlich. Kann ich die bitte mal anprobieren?

B *(zieht seine Jacke aus)* Also gut, bitte …

A *(zieht die Jacke an)* So eine feine Jacke. Wo haben Sie die denn gekauft?

B Soll ich Ihnen vielleicht noch einen Spiegel bringen?

A Oh, das wäre sehr nett von Ihnen.

B Sagen Sie mal, ich wollte eine Hose kaufen …

A Alle wollen immer nur was von mir haben – und ich? Ich bekomme nie was.

B Geben Sie meine Jacke her. Auf Wiedersehen!

Es klingelt! 2 _5

A Hörst du … die Klingel! Mitten in der Nacht? … Los, aufstehen! Du musst nachsehen!

B Ach nee, ich will schlafen. Ich kriege meine Augen gar nicht auf.

A Das klingelt und klingelt. Mensch, aufwachen! Da ist bestimmt was passiert!

B Okay, ich gehe ja schon. Wo ist denn meine Hose …, mein Bademantel … *(geht zur Wohnungstür)*

C Einen wunderschönen guten Abend. Ich repariere gerade Ihre Klingel.

B Was? Die ist ja gar nicht kaputt. Hören Sie das denn nicht?

C Sehen Sie? … weil ich sie gerade repariert habe.

d | Proben Sie gemeinsam und spielen Sie Ihre Version vor. Wer macht es am schönsten? Eine Jury bewertet Originalität und Aussprache (v. a. Schwa-Laute).

9 Von-oben-Rap

2 _6 **a** | Hören Sie den Rap und lesen Sie den Text mit. Achten Sie auf die Schwa-Laute.

b | Sprechen Sie (im Chor und mit Mimik und Gestik) mit.

Keine Wiesen, keine Blumen,
kein Himmel in der Stadt.
Keine Sonne und an dürren Ästen
kein Blatt.
    Und ich mittendrin.
    Wo sind die Wolken hin?
        Ich will fliegen!
Die Stadt von oben sehen,
am Himmel Runden drehen,
    die Kurve kriegen.

Ich seh die Wiesen und die Blumen
und die Bäume vor der Stadt.
Und die Sonne glänzt von oben
auf jedem grünen Blatt.
    Dann seh ich dich da stehen,
    kann deine Augen sehen.
        Du winkst mir zu.
Die Stadt sieht dunkel aus,
doch ich flieg schnell nach Haus,
    denn da wohnst du.

c | Was gibt es nicht in der Stadt oder auf dem Dorf? Erzählen Sie.

> In der Stadt gibt es keine Kühe, keine …

10 Ein Blumengedicht

Gefunden

Ich ging im Walde
So für mich hin,
Und nichts zu suchen,
Das war mein Sinn.

Im Schatten sah ich
Ein Blümchen stehn,
Wie Sterne leuchtend,
Wie Äuglein schön.

Ich wollt es brechen,
Da sagt es fein:
Soll ich zum Welken
Gebrochen sein?

Ich grub's mit allen
Den Würzlein aus
Zum Garten trug ich's
Am hübschen Haus.

Und pflanzt es wieder
Am stillen Ort;
Nun zweigt es immer
Und blüht so fort.

Johann Wolfgang von Goethe
(*1749 – †1832)

2 _7 **a** | Hören Sie das Gedicht und lesen Sie den Text mit. Achten Sie auf die Schwa-Laute. Klären Sie unbekannte Wörter.

b | Hören Sie noch einmal – schließen Sie die Augen. Welche Gefühle haben Sie dabei?

c | Lesen Sie Zeile für Zeile. Experimentieren Sie: Variieren Sie Emotionen, Betonungen und Melodie.

d | Lesen Sie das Gedicht mit Mimik und Gestik vor. Sehen Sie Ihre Zuhörer dabei an.

Lesen Sie das Gedicht laut und machen Sie davon eine Tonaufnahme. Hören Sie sich Ihre Aufnahme danach kritisch an: Markieren Sie Fehler (v.a. bei Schwa-Lauten) und üben Sie, bis Sie selbst mit dem Ergebnis zufrieden sind.

11 Ganz kreativ!

Laute und Buchstaben						
fortis / gespannt				**lenis / ungespannt**		
[p]	**p** Puppe	**pp** Puppe	**-b** lieb	[b]	**b** Ball	**bb** Hobby
[t]	**t** Tier **tt** Wetter	**th** Theater **dt** Stadt	**-d** und	[d]	**d** du	**dd** Pudding
[k]	**k** kochen **ck** backen	**c** Computer **ch** Chor	**-g** Tag	[g]	**g** gut	**gg** joggen
Wichtige Regeln und Tipps						

- Es gibt gespannte Fortis-Plosive und ungespannte Lenis-Plosive. Man erkennt sie oft an der Schreibweise.
- Fortis-Plosive sind immer stimmlos und manchmal aspiriert (behaucht): *ph, th, kh*.
- Doppelt geschriebene Konsonanten dürfen nicht länger gesprochen werden. Sie zeigen, dass der Vokal davor kurz ist: P*u*ppe.
- Am Ende von Wörtern (manchmal auch Silben) spricht man *b, d, g* immer als [p, t, k] (→ Auslautverhärtung: *und, gefragt*)
- [b] in *Bein* darf man nicht mit [v] in *Wein* verwechseln.

1 So klingt es!

2_8 **a** | So klingen Fortis- und Lenis-Plosive: Hören Sie und lesen Sie mit. Achten Sie auf die Plosive (fett).

Umfrage: Welche Ho**bb**ys ha**b**en die **D**eu**t**schen?
Wir ha**b**en einige **P**ersonen **g**efra**g**t:

- Au**t**o fahren.
- **K**ochen un**d** ba**ck**en.
- **P**lätzchen ba**ck**en.
- **B**asketball.
- **B**ergsteigen.
- **C**ompu**t**er.
- **D**isco.

- **K**ara**t**e.
- **Th**ea**t**er s**p**ielen.
- Ra**d** fahren.
- Mein Hun**d** ist mein Ho**bb**y.
- Ich jo**gg**e.
- Ich **g**ehe **g**ern ins **K**ino.
- Ach, ich **b**in **d**a **g**anz **k**rea**t**iv.

2_9 **b** | Hören Sie zweimal und lesen Sie zuerst leise und dann laut mit. Achten Sie auf die Plosive.

1. [p, b] **P**lätzchen | **b**acken   2. [t, d] **Th**eater | **D**isco   3. [k, g] **k**reativ | **g**ehen

2 Tricks für Fortis- und Lenis-Plosive

a | Probieren Sie diese Tricks aus.

> ❗ [p, t, k] Halten Sie ein Blatt Papier vor den Mund und sprechen Sie sehr kräftig und
> gespannt *ph, th, kh*! → *Post, Tier, Koch*. Das Papier muss sich dabei bewegen.
> ❗ [b, d, g] Sprechen Sie danach ganz weich, aber nicht stimmhaft [b, d, g] → *bei, du, gern*.
> Das Papier darf sich dabei nicht bewegen.
> ❗ Bei [p, t, k] machen Sie eine Faust, bei [b, d, g] eine ganz lockere Handbewegung.

2 💿_10 b | Hören Sie und sprechen Sie nach. Verwenden Sie einen Trick aus a.

1. [p, t, k] **P**ark | **P**ost | **T**ee | **T**ier | **K**och | **K**äse
2. [b, d, g] **B**ier | **b**ei | **d**u | **d**ann | **g**ern | **g**leich

c | Welcher Laut (fett) wird in den Wörtern gesprochen? Schreiben Sie die Wörter in die richtige Spalte.
(Manche Wörter passen in zwei Spalten.)

Ho**bb**y | **k**ochen | **b**a**ck**en | **t**anzen | Ra**d** | **g**ehen | **B**erg | **P**ersonen | **D**isco | **g**ern

[p]	[b]	[t]	[d]	[k]	[g]
					gern

d | Vergleichen Sie mit der Lösung und lesen Sie laut.

3 Wörter mit kleinen Unterschieden

2 💿_11 a | Hören Sie, achten Sie auf die Unterschiede und sprechen Sie nach.

1. [p – b] **P**aar - **B**ar | **P**ass - **B**ass | **p**acken – **b**acken | Ge**p**äck Ge**b**äck
2. [b – v] **B**ein – **W**ein | **B**ier – **w**ir | **B**ar – **w**ar | **B**erg - **W**erk
3. [t – d] **T**ier – **d**ir | **t**anken – **d**anken | En**t**e – En**d**e | Li**t**er - Lie**d**er
4. [k – g] **K**arten – **G**arten | **K**ern – **g**ern | we**ck**en – we**g**en | (Frau) Ha**k**er – (Frau) Ha**g**er

2 💿_12 b | Hören Sie und unterstreichen Sie von jedem Wortpaar das gehörte Wort.

c | Vergleichen Sie mit der Lösung. Lesen Sie zuerst die gehörten Wörter und dann die Wortpaare laut.
Machen Sie dabei Gesten für gespannte (fortis) und ungespannte (lenis) Plosive.

4 Koffer packen!

2 _13 a | Wie spricht man die markierten Buchstaben aus: als [p], [b], [t], [d], [k] oder [g]? Hören Sie und schreiben Sie die richtigen Laute in die Klammern.

eine **gel**be **B**anane
[g] [ ] [ ]

ein **b**lauer **B**all
[ ]   [ ]

eine run**d**e **D**ose
[ ] [ ]

ein hü**b**sches **T**uch
[ ]   [ ]

ein **b**isschen **G**el**d**
[ ]   [ ][ ]

eine **k**apu**tt**e **T**asse
[ ][ ] [ ] [ ]

ein **K**u**g**elschrei**b**er
[ ][ ]   [ ]

eine Lan**dk**arte
[ ][ ][ ]

ein **K**ilo O**b**st
[ ]   [ ][ ]

b | Vergleichen Sie mit der Lösung und lesen Sie laut. Achten Sie auf die Aussprache der Fortis- und Lenis-Plosive.

c | Spielen Sie Kofferpacken.

> Ich packe in meinen Koffer eine runde Dose und ein Kilo Obst, …

5 Lücken füllen

a | Lesen Sie und ergänzen Sie die Beispiele.

Nomen: Singular – Plural	Adjektive	Verben: Infinitiv – Präteritum – Partizip Perfekt
das Bil**d** – die Bil**d**er	ein gel**b**es Kleid – Das Kleid ist gel**b**.	fra**g**en – fra**g**te – gefra**g**t
das Ra**d** – _____	ein run**d**er Ball – _____	ge**b**en – _____ – gege**b**en
_____ – die Ta**g**e	_____ – Obst ist gesun**d**.	_____ – lebte – gelebt
der We**g** – _____	ein anstrengen**d**er Tag – _____	fin**d**en – fan**d** – _____

2 _14 b | Hören Sie die Beispiele aus der Tabelle, lesen Sie mit und sprechen Sie nach. Vergleichen Sie mit Ihrer Lösung.

c | In welchen Wörtern spricht man b, d, g als [p, t, k]? Markieren Sie und vergleichen Sie mit der Lösung.

d | Suchen Sie noch mehr Beispiele für jede Spalte und üben Sie die Aussprache.

6 Ganz dumme Fragen

 2 _15 a | Hören Sie die Fragen aus der Tabelle und sprechen Sie sehr langsam und deutlich nach. Achten Sie besonders auf die Fortis- und Lenis-Plosive.

Können Kamele Karate?	Können Kühe kegeln?	Grillen Gänse gern?	Geben Giraffen Geigenunterricht?
Küssen Kamele gern?	Kriegen Gänse Kopfschmerzen?	Gucken Kühe gern Kinofilme?	Trinken Tiere täglich Tee?
Tanzen Tiger Tango?	Dürfen Delfine demonstrieren?	Dürfen Dachse Delfine duzen?	Packen Pinguine Pakete?
Putzen Papageien prima?	Brauchen Bären Badeanzüge?	Benutzen Bienen Bankautomaten?	Bezahlen Pinguine Praxisgebühr?

 b | Schreiben Sie die Fragen auf Zettel und verteilen Sie sie. Jeder stellt eine Frage (mit Mimik und Gestik). Wer kann es ohne Fehler?

 c | Machen Sie ein Diskussionsspiel. Einer stellt sehr ernsthaft eine „dumme Frage" und ein anderer oder alle versuchen, sie humorvoll zu beantworten.

7 Komplimente

 a | Schreiben Sie die Angaben in der Tabelle auf Zettel und verteilen Sie sie. Jeder markiert zuerst auf seinem Zettel die Plosive [p, b, t, d, k, g] mit verschiedenen Farben und übt die Aussprache.

 Markieren Sie in der Tabelle die Plosive [p, b, t, d, k, g] mit verschiedenen Farben und vergleichen Sie mit der Lösung. Lesen Sie laut. (Setzen Sie beliebige Namen ein.)

… kann gut kochen	… ist sehr kreativ.	… ist sehr bescheiden.	… denkt immer an andere.	… gefällt mir sehr gut.
… kann Gitarre spielen.	… ist immer großzügig.	… ist immer so kompetent.	… ist total genial.	… ist wirklich perfekt.
… ist supertoll.	… ist total cool.	… sieht immer schick aus.	… ist total elegant gekleidet.	… ist sehr hübsch.

 b | Jeder liest seinen Zettel vor und setzt den Namen einer Lernpartnerin / eines Lernpartners ein. Die genannte Person bedankt sich für das Kompliment und ist als nächste dran.

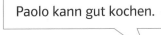

Paolo kann gut kochen.

 c | Machen Sie noch mehr Komplimente. Benutzen Sie möglichst viele Plosive.

8 Sprechtheater

a | Schreiben Sie die Aussprüche auf Zettel. Ziehen Sie einen Zettel und sprechen Sie wie zu einem kleinen Kind oder wie zu Ihrer Chefin / Ihrem Chef. Erraten die anderen Ihren Gesprächspartner?

2 ◉_16   Hören Sie alle Aussprüche zuerst neutral und dann sehr fröhlich und sprechen Sie emotional nach.

Aussprüche:

Super!	Toll!	Cool!	Perfekt!	Traumhaft!
Na klar!	Bitte!	Danke!	Genial!	Klasse!

b | Wählen Sie einen Sketch aus. Hören Sie und markieren Sie alle Fortis-Plosive.

c | Hören Sie noch einmal und sprechen Sie leise mit.

Konzertkarten 2 ◉_17

A Überraschung! Guck mal, ich hab Konzertkarten … für morgen.
B Toll …
A Endlich mal wieder ins Konzert. Traumhaft!
B Ja genial …
A Sag mal … Freust du dich gar nicht?
B Doch, doch …
A Also ich freu mich total! Weißt du: ein tolles Orchester auf der Bühne … und wir beide im Publikum. Ach, wie aufregend …
B Ja, wirklich aufregend …
A … und ich in meinem neuen gelben Kleid.
B Hm …
A Den Termin trage ich gleich mal in den Kalender ein. *(guckt auf die Karten)*
   Also, zweiter Dritter … Ach du meine Güte, heute ist der dritte Dritte! Das Konzert war gestern. So ein Mist!
B Ein Glück! Ich hasse Konzerte.

Kirschtorte 2 ◉_18

A Bitte?
B Einen Tee, einen Kaffee und zwei Stück Kirschtorte bitte.
A Gern. Kommt sofort … Hier – eine Tasse Tee, eine Tasse Kaffee, zwei Stück Kirschtorte. Guten Appetit.
B Danke! Moment. Die Kirschtorte… Da fehlt was.
A Ja, was ist damit?
B Da sind keine Kirschen drin.
A Natürlich sind da keine Kirschen drin.
B Was heißt hier natürlich? Ich bestelle Kirschtorte und da erwarte ich, dass da auch Kirschen drin sind.
A Also, meine Dame … ich erkläre Ihnen mal was. Haben Sie schon mal Sandkuchen gesehen, in dem Sand drin ist?
B Natürlich nicht.
A Sehen Sie, und deshalb sind in der Kirschtorte auch keine Kirschen drin. Ganz klar!

d | Proben Sie gemeinsam und spielen Sie Ihre Version vor. Wer macht es am schönsten? Eine Jury bewertet Originalität und Aussprache (v.a. Fortis- und Lenis-Plosive).

9 Papier-Rap

2 _19 **a** | Hören Sie den Rap und lesen Sie den Text mit. Achten Sie auf die Plosive.

b | Sprechen Sie (im Chor und mit Mimik und Gestik) mit.

Papier, Papier! Alles aus Papier hier!

Kisten und Bücher
und Taschentücher.
Tassen und Becher
in Schränken die Fächer.
Rahmen und Bilder
und Straßenschilder.

Taschen und Tüten
und künstliche Blüten.
Flugzeuge, Boote.
Zum Glück keine Brote.
Doch Notenblätter fürs Klavier
sind alle aus Papier.

Papier, Papier, Papier! Alles aus Papier hier!
ALLES AUS PAPIER!

c | Was ist noch aus Papier? Bilden Sie Sätze und sprechen Sie sie laut.

Der Brief von dir ist aus Papier!

10 Ein Dank-Gedicht

WILL DAS GLÜCK NACH SEINEM SINN

Will das Glück nach seinem Sinn
Dir was Gutes schenken,
Sage Dank und nimm es hin
Ohne viel Bedenken.
Jede Gabe sei begrüßt,
Doch vor allen Dingen:
Das worum du dich bemühst,
Möge dir gelingen.

Wilhelm Busch (*1832–†1908)

2 _20 **a** | Hören Sie das Gedicht und lesen Sie den Text mit. Achten Sie auf die Plosive. Klären Sie unbekannte Wörter.

b | Hören Sie noch einmal – schließen Sie dabei die Augen. Welche Gefühle haben Sie?

c | Lesen Sie Zeile für Zeile. Experimentieren Sie: Variieren Sie Emotion, Betonung und Melodie.

d | Lesen Sie das Gedicht mit Mimik und Gestik vor. Sehen Sie die Zuhörer dabei an.

Lesen Sie das Gedicht laut und machen Sie davon eine Tonaufnahme. Hören Sie sich Ihre Aufnahme danach kritisch an: Markieren Sie Fehler (v.a. bei Plosiven) und üben Sie, bis Sie selbst mit dem Ergebnis zufrieden sind.

12 So freundlich!

Laute und Buchstaben

fortis / gespannt				lenis / ungespannt			
[s]	**s** Ei**s**	**ss** Wa**ss**er	**ß** hei**ß**en	[z]	**s** **s**o		
[f]	**f** **F**isch	**ph** **Ph**onetik		[v]	**w** **W**asser	**v** **V**ase	
	ff Ka**ff**ee	**v** **v**iel					

Wichtige Regeln und Tipps

- Es gibt Fortis- und Lenis-Frikative. Man erkennt sie oft an der Schreibweise.
- Fortis-Frikative sind gespannt, Lenis-Frikative sind ungespannt.
  Das [z] (*so*) klingt meistens stimmhaft.
- Am Ende von Wörtern (manchmal auch Silben) wird *s* immer stimmlos [s]
  gesprochen: *Eis.* (→ Auslautverhärtung)
- *ff*, *ss* werden nicht lang gesprochen. Sie zeigen an,
  dass der Vokal davor kurz ist: *Wạsser*.
- [v] *(Wald)* darf man nicht mit [b] *(bald)* verwechseln.

Ssss! So schön!

1 So klingt es!

2 _21 **a |** So klingen Fortis- und Lenisfrikative [s - z], [f - v]:
Hören Sie und lesen Sie mit. Achten Sie auf die Frikative (fett).

Umfrage: Wir haben **v**ier Per**s**onen ge**f**ragt: **W**ie und **w**o **v**erbringen **S**ie Ihre **S**ommer**f**erien?
Und da**s** haben **s**ie ge**s**agt:

- Rei**s**en in den **S**üden. Blauer Himmel, **S**onne, Meer – **wa**s kann schöner **s**ein?
- Zu Hau**s**e im Garten. Drau**ß**en in der **S**onne **s**itzen. **V**iel le**s**en. **F**reunde tre**ff**en.
- **W**andern und Angeln. **V**ormi**tt**ag**s** **F**ische **f**angen, abend**s** mit der **F**amilie im **F**reien am
  Feuer **s**itzen, **F**isch e**ss**en und **W**ein trinken.
- **V**er**w**andte be**s**uchen. Die **w**ohnen alle **w**eit **w**eg. **W**ir **f**reuen un**s** rie**s**ig drau**f**.

2 _22 **b |** Hören Sie zweimal und lesen Sie zuerst leise und dann laut mit. Achten Sie auf die Frikative.

1. [f] **F**isch | **f**angen | **v**iel | tre**ff**en
2. [v] **w**ir | **w**ie | **W**ein | **w**andern
3. [s] da**s** | wa**s** | e**ss**en | drau**ß**en
4. [z] **s**ie | **S**üden | rei**s**en | le**s**en

2 Tricks für F-, W- und S-Laute

a | Probieren Sie diese Tricks aus.

! F- und W-Laute: Zuerst obere Schneidezähne vorsichtig auf die Unterlippe stellen.
  – Bei [f] kräftig pusten (wie z.B. beim Abkühlen einer heißen Suppe).
    Sagen Sie *fein*. Sprechen Sie *f* ganz lang.
  – Bei [v] ganz vorsichtig mit Ton pusten. Die Unterlippe kribbelt dabei.
    Sagen Sie *wir*. Sprechen Sie *w* ganz lang.

! S- Laute: Die Zunge liegt ganz flach im Mund. Die Zungenspitze drückt an die unteren Schneidezähne.
  – Bei [s] kräftig pusten. Sagen Sie *ssss – das*.
  – Bei [z] ganz vorsichtig mit Ton summen (es klingt wie Bienensummen).
    Sagen Sie *ssss sie*.

2 _22 b | Hören Sie noch einmal die Wörter aus 1b und sprechen Sie nach. Verwenden Sie für die Frikative den Trick aus 2a.

3 Wörter mit kleinen Unterschieden

2 _23 a | Hören Sie, achten Sie auf die Unterschiede und sprechen Sie nach.

1. [f - v] **f**ein – **W**ein | **f**ort – **W**ort | **F**eld – **W**elt | **v**ier – **w**ir
2. [v - b] **W**and – **B**and | **w**ir – **B**ier | **W**ald – **b**ald | **w**ar – **B**ar
3. [s - z] rei**ß**en – rei**s**en | flie**ß**en – Flie**s**en | (Herr) Krau**ß**e – (Herr) Krau**s**e | (Frau) Reu**ß**ig – (Frau) Reu**s**ig
4. [s / z - ʃ] Ta**ss**e – Ta**sch**e | Flei**ß** – Flei**sch** | **S**ohn – **sch**on | **s**ieben – **sch**ieben

2 _24 b | Hören Sie und unterstreichen Sie von jedem Wortpaar das gehörte Wort.

c | Vergleichen Sie mit der Lösung. Lesen Sie zuerst die gehörten Wörter und dann die Wortpaare laut.

4 Buchtitel

2 🔘 _25 **a** | Hören Sie und ergänzen Sie die fehlenden Buchstaben oder Wörter.

FAMILIE

MACHT FERIEN.

(*Krause* / *Krauße*)

IN FRANKREICH

(*Bar* / **War**)

WALD UND

Welt

(**Welt** / *Feld*)

kommen durch die ganze Welt.

(*Wir* / *Vier*)

AM FLUSS

(**Bald** / *Wald*)

FREUDE UND VERGNÜGEN

(*Wiesen* / *Wissen*)

SUSANNES

(*Fleiß* / *Fleisch*)

ALLE IM SCHRANK!

(*Tassen* / *Taschen*)

in der Sonne.

(*Sohn* / **schon**)

ALLE

(*sieben* / **schieben**)

b | Vergleichen Sie mit der Lösung und lesen Sie laut. Achten Sie auf die Frikative.

c | Üben Sie weiter: Einer liest seine Variante der Buchtitel vor, die anderen ergänzen. Vergleichen Sie dann.

5 Komposita-Werkstatt

a | Wer kann die meisten Komposita aus diesen Wörtern bilden? Lesen Sie vor.
Kontrollieren Sie sich gegenseitig, ob die Frikative [f, v, z, s] richtig gesprochen sind.

Bilden Sie aus den Wörtern in der Tabelle Komposita und lesen Sie sie laut.   *Fernsehfilm*

Gemüse	Suppe	Bus	Reise	Eis	Sahne	Sendung
Familie	Feier	Ferien	Wohnung	Fernseh-	Film	Sessel
Fisch	Salat	Filet	Fleisch	Frühling	Fest	Saft
Glas	Haus	Meister	Kaffee	Tasse	Kartoffel	Sofa
Kissen	Klasse	Kunst	Werk	Salsa	Kurs	Haus
Schlüssel	Schüssel	Sommer	Sonne	Speise	Wagen	Vase
Video	Vokabel	Heft	Volk	Musik	Wasser	Wein
Winter	Wetter	Wohnung	Suche	Wald	Weg	Flur

b | Wiederholen Sie die Übung und bilden Sie mit jedem Kompositum einen Satz.

6 | Wer kennt das? Wer hat das?

2 _26   a | Hören Sie die Wortgruppen und achten Sie besonders auf die Aussprache von [st], aber auch auf die anderen Frikative.

das klein**st**e Haus | der laute**st**e Wecker | der weite**st**e Weg zum Kurs | der toll**st**e Witz | das läng**st**e Wort | der verrückte**st**e Wunsch | die schmal**st**e **St**raße | der läng**st**e Film | das dick**st**e Telefonbuch | die läng**st**e Wur**st** | die größ**t**en Füße | die größ**t**e Familie

   b | Jede / Jeder wählt eine Frage aus und stellt sie den anderen. Die anderen achten auf die Aussprache der Frikative. Wer eine Antwort weiß, ist als Nächste / Nächster dran.

> Wer kennt das längste Wort?
> Wer hat die größten Füße?

> Ich kenne das längste Wort.
> Es heißt: …

c | Denken Sie sich weitere Fragen aus.

7 | Wer weiß das?

   a | Einer stellt eine Rätselfrage, ein anderer gibt die passende Antwort.

2 _27   b | Hören Sie die Rätselfragen und sprechen Sie nach.

   Verbinden Sie Fragen und passende Antworten. Vergleichen Sie anschließend mit der Lösung und lesen Sie Fragen und Antworten laut.

Fragen:	Antworten:
Was hat ein Fahrrad vorn und ein Schiff hinten?	Die Wurst.
Welcher Sinn hat keinen Sinn?	Die Schneeflocke.
Welche Watte kann man essen?	Der Unsinn.
Welcher Stuhl hat kein Bein?	Der Fahrstuhl.
Was hat keinen Anfang, aber zwei Enden?	Die Zuckerwatte.
Was hat die Straßenbahn vorn und der Bus hinten?	Der Affe.
Welches Jahr hat nur drei Monate?	Wenn sie voll sind.
Welches Tier steckt in Kaffee?	Im Flughafen.
Wer fällt und verletzt sich dabei nicht?	Das Frühjahr.
Wann soll man in Gläser keinen Wein gießen?	Den Buchstaben *S*.
In welchem Hafen gibt es keine Schiffe?	Den Buchstaben *F*.

8 Sprechtheater

2 _28 **a** | Hören Sie alle Aussprüche zuerst etwas *unfreundlich*, dann *freundlich* und sprechen Sie emotional nach.

Psst! Leise! | Was? | Wie bitte? | Fein! | So? | Soso! | Super! | Was soll das? | Lass das sein!

 b | Wählen Sie einen Ausspruch aus und sprechen Sie ihn *freundlich* oder *unfreundlich*. Erkennen die anderen die Emotion?

c | Wählen Sie einen Sketch aus. Hören Sie und markieren Sie die Lenis-Frikative [v, z].

Verkehrt! 2 _29

A Sieh mal, ist das nicht eine feine Vase?
  Hab ich gefunden.
B Eine Vase? Das ist doch keine Vase!
A Was? Wieso denn nicht?
B Die hat ja oben gar keine Öffnung.
A Oh! Du hast recht … Und der Boden
  fehlt ja auch.

Zu Fuß? 2 _30

A Hallo, Sie da! Was machen Sie da auf
  der Wiese?
B Mein Fußball … Er ist dort auf die
  Wiese geflogen.
A Sie dürfen diese Wiese nicht betreten.
  Das steht auf dem Schild da. Sie können
  wohl nicht lesen?
B *(liest)* So? Na dann nehme ich eben
  das Fahrrad.
A Wie bitte???

d | Hören Sie noch einmal und sprechen Sie leise mit.

 e | Proben Sie gemeinsam und spielen Sie Ihre Version vor.
Wer macht es am schönsten? Eine Jury bewertet Originalität und Aussprache
(v. a. Frikative: S-, F- und W-Laute).

9 Sommer-Rap

2 _31 a | Hören Sie den Rap und lesen Sie den Text mit. Achten Sie auf die Frikative.

b | Sprechen Sie (im Chor und mit Mimik und Gestik) mit.

Ich fühl den weichen Sand,
er fließt mir durch die Hand.
Es ist Sommer!
Der Himmel sonnenklar,
ich fühl mich wunderbar.
Es ist Sommer.
Es ist endlich wieder Sommer.
Super, super Sommer!

Die Wellen plätschern leis
und ich ess Sahneeis
Es ist Sommer!
Die Sonne leuchtet und
malt alle Menschen bunt.
Es ist Sommer!
Es ist endlich wieder Sommer.
Super, super Sommer!

Ich fang den Sonnenschein
mit meinen Augen ein.
Ich will Sommer.
Und kommt der Winter doch,
hab ich ihn immer noch …
Ich hab Sommer.
Ich hab endlich wieder Sommer.
Super, super Sommer!

10 Ein Vogelgedicht

Das Lied der Vögel

Wir Vögel haben's wahrlich gut,
Wir fliegen, hüpfen, singen.
Wir singen frisch und wohlgemut,
Dass Wald und Feld erklingen.

Wir sind gesund und sorgenfrei,
Und finden, was uns schmecket;
Wohin wir fliegen, wo's auch sei,
Ist unser Tisch gedecket.

Ist unser Tagewerk vollbracht,
Dann zieh'n wir in die Bäume,
Wir ruhen still und sanft die Nacht
Und haben süße Träume.

Und weckt uns früh der Sonnenschein,
Dann schwingen wir's Gefieder,
Wir fliegen in die Welt hinein
Und singen unsre Lieder.

August Heinrich Hoffmann von Fallersleben (*1798 – †1874)

2 _32 a | Hören Sie das Gedicht und lesen Sie den Text mit. Achten Sie auf S-, F-, und W-Laute.
Klären Sie unbekannte Wörter.

b | Hören Sie noch einmal – schließen Sie dabei die Augen. Welche Gefühle haben Sie?

c | Lesen Sie Zeile für Zeile. Experimentieren Sie: Variieren Sie Emotion, Betonung und Melodie.

d | Lesen Sie das Gedicht mit Mimik und Gestik vor. Sehen Sie die Zuhörer dabei an.

Lesen Sie das Gedicht laut und machen Sie davon eine Tonaufnahme. Hören Sie sich Ihre Aufnahme
danach kritisch an: Markieren Sie Fehler (v.a. bei S-, F- und W- Lauten) und üben Sie, bis Sie selbst
mit dem Ergebnis zufrieden sind.

13 Schön sprechen!

Laute und Buchstaben		Wichtige Regeln und Tipps
fortis / gespannt	**lenis / ungespannt**	• Den Sch-Laut [ʃ] darf man nicht wie den S-Laut oder Ich-Laut sprechen.
[ʃ] **sch** sch**ö**n **s**(p) **S**port **s**(t) **S**tadt	[ʒ] **g** Garage **j** Jackett	• Laut-Buchstabenbeziehungen bei *st* oder *sp*: Nur am Silben- oder Wortanfang spricht man einen Sch-Laut: *st*ehen, *best*ehen.
fortis / gespannt)		• *ch* = Ich-Laut nach *e, i, ä, ö, ü, ei, eu, äu, l, n, r* und in *-chen* (manchmal auch in *-ig*).
Ich-Laut	**Ach-Laut**	*ch* = Ach-Laut nach *a, o, u, au*. Man darf Ich-Laut nicht wie Sch-Laut und Ach-Laut nicht wie [k] sprechen: *Nacht - nackt*.
[ç] **ch** i**ch** -**ig** Leipz**ig**	[x] **ch** Na**ch**t	*ch* im Wort- und Silbenanlaut spricht man manchmal wie [k] (**Ch**or, Or**ch**ester) oder wie [ʃ] (**ch**armant).

1 So klingt es!

2 ⊙_33 **a |** So klingen Ich-, Ach- und Sch-Laute: Hören Sie und lesen Sie mit. Achten Sie auf die Frikative (fett).

So ist es!

Jungs sind keine Mäd**ch**en. Ein Dorf ist kein **S**tädt**ch**en.

Fenster sind keine **S**piegel. Bür**s**ten sind keine Igel.

We**s**pen sind keine Fliegen. Wer **s**teht, kann nicht liegen.

Ein Be**ch**er ist kein Teller. Ein Da**ch** ist kein Keller.

Ein See ist kein Ba**ch**. Wer **sch**läft, ist ni**ch**t wa**ch**.

Die Na**ch**t ist nicht hell. Langsam ist ni**ch**t **sch**nell.

Schwer ist nicht lei**ch**t. Danke, es rei**ch**t.

2 ⊙_34 **b |** Hören Sie zweimal. Lesen Sie zuerst leise und dann laut mit. Achten Sie auf die Ich-, Ach- und Sch-Laute (fett).

1. [ç] (Ich-Laut) ni**ch**t | lei**ch**t | Be**ch**er | Mäd**ch**en

2. [x] (Ach-Laut) Da**ch** | Ba**ch** | wa**ch** | Na**ch**t

3. [ʃ] (Sch-Laut) **sch**nell | **sch**wer | **S**piegel | **s**tehen

   Achtung, hier spricht man *s+t* oder *s+p*: Fen**st**er | Bür**st**en | We**sp**en.

2 Tricks für Ich-, Ach- und Sch-Laute

a | Probieren Sie diese Tricks aus.

> ! **Ich-Laut:** Sprechen Sie *jjj* wie in *ja*. Erhöhen Sie dann die Spannung. Sagen Sie *ich*.
>
> ! **Ach-Laut:** Imitieren Sie ein Schnarch-Geräusch, merken Sie sich diese Position und sagen Sie *ach*.
>
> ! **Sch-Laut:** Runden Sie die Lippen (wie beim O-Laut). Biegen Sie dann die Zungenspitze zurück nach oben und pusten Sie kräftig. Sagen Sie *schön*. Kontrollieren Sie die Lippenstellung mit einem Spiegel oder legen Sie den Zeigefinger an die Lippen.

2 🔊_34   b | Hören Sie die Wörter aus 1b noch einmal und sprechen Sie nach. Verwenden Sie für die Ich-, Ach- und Sch-Laute die Tricks aus 2a.

3 Welcher Laut ist es?

2 🔊_35   a | Hören Sie, achten Sie auf die fett markierten Buchstaben und kreuzen Sie den passenden Laut an.

1.

	Ich-Laut [ç]	Ach-Laut [x]
Kü**ch**e	X	
ko**ch**en		
Kö**ch**in		
Mil**ch**		
Geri**ch**t		
Ku**ch**en		
Knoblau**ch**		
Hähn**ch**en		
Handtu**ch**		
Plätz**ch**en		
wei**ch**		

2.

	Sch-Laut in [ʃt, ʃp]	S-Laut in [st, st]
am be**st**en		
stellen		
be**st**ellen		
begei**st**ert		
Buch**st**abe		
er**st**		
du roll**st**		
Roll**st**uhl		
Bei**sp**iel		
spielen		
Pro**sp**ekt		

b | Vergleichen Sie mit der Lösung und lesen Sie laut.

   Hören Sie noch einmal und sprechen Sie nach.

2 🔊_36   c | Hören Sie die Wortpaare und achten Sie auf die Unterschiede.

   1. Ach-Laut – [k]   Na**ch**t – nac**k**t | (Herr) Pla**ch**e – (Herr) Pla**ck**e | (Frau) Bro**ch** – (Frau) Bro**ck** | (Herr) No**ch**e – (Herr) No**k**e

   2. Ich-Laut – Sch-Laut   Kir**ch**e – Kir**sch**e | (Frau) Fi**ch**el – (Frau) Fi**sch**el | (Herr) Mi**ch**mann – (Herr) Mi**sch**mann | (Frau) Mön**ch**ner – (Frau) Mön**sch**ner

2 💿 _37   d | Hören Sie und unterstreichen Sie von jedem Wortpaar das gehörte Wort.

e | Vergleichen Sie mit der Lösung. Lesen Sie zuerst die gehörten Wörter und dann die Wortpaare laut.

4   Solche Menschen gibt es.

2 💿 _38   a | Hören Sie und ergänzen Sie die fehlenden Buchstaben.

enga⌷_g_⌷ierte ⌷__⌷ations⌷__⌷western   hüb⌷__⌷e Ge⌷__⌷wi⌷__⌷er

⌷__⌷arsame Kö⌷__⌷e   sympathi⌷__⌷e Autome⌷__⌷aniker

⌷__⌷renge Polizi⌷__⌷en   typi⌷__⌷e Rau⌷__⌷er

ent⌷__⌷annte Besu⌷__⌷er   ⌷__⌷öne Fußball⌷__⌷ieler

⌷__⌷armante ⌷__⌷efinnen   re⌷__⌷ektvolle Ge⌷__⌷äftspartner

wi⌷__⌷tige ⌷__⌷rift⌷__⌷eller   komi⌷__⌷e Hausmei⌷__⌷er

b | Vergleichen Sie mit der Lösung und lesen Sie laut. Achten Sie besonders auf die Ich-, Ach- und Sch-Laute.

   c | Was können Sie über solche Menschen sagen? Bilden Sie mit jeder Wortgruppe einen Satz.

d | Kombinieren Sie Nomen und Adjektive anders als in a. und sprechen Sie die neuen Wortgruppen.

5   Ich- Ach- und Sch-Würfelspiel

a | Spielanleitung: Würfeln Sie reihum und lösen Sie die passende Aufgabe zur gewürfelten Zahl. Kontrollieren Sie gegenseitig, ob Ich- Ach- und Sch-Laute richtig gesprochen sind. Einer schreibt alle genannten Wörter auf. Tipp: Benutzen Sie ein Wörterbuch.

⚀   ein Diminutiv mit -chen (z.B. Mädchen)
⚁   ein Nomen im Singular mit [x] und im Plural mit [ç] (z.B. die Nacht – die Nächte)
⚂   ein Adjektiv mit sp [ʃp] (z.B. spät)
⚃   ein Nomen mit st [ʃt] (z.B. Stadt)
⚄   ein Verb mit sch (z.B. schreiben)
⚅   ein Verb mit ch (z.B. sprechen)

   Lösen Sie die Aufgaben zu den Würfelaugen und sprechen Sie sie laut.

   b | Erzählen Sie nun mit jedem gesuchten Wort eine gemeinsame Geschichte. Alle Sätze müssen zusammenpassen.

6 **Freundliche Aufforderungen**

2 ⏻_39 a | Hören Sie die Aufforderungen und markieren Sie Ich- Ach- und Sch-Laute mit verschiedenen Farben.

- Schreib mal wieder!
- Lach doch mal wieder!
- Streng dich doch einfach mal ein bisschen an!
- Schlaf doch wieder mal richtig aus!
- Besuch mich doch mal wieder!

- Lies doch mal wieder ein schönes Buch!
- Entspann dich doch endlich mal.
- Spiel mal wieder Schach!
- Mach mal wieder Sport!
- Koch mal wieder was Schönes!

b | Hören Sie noch einmal und sprechen Sie nach.

 Sagen Sie eine Aufforderung zu einer anderen Person (mit Mimik und Gestik).

7 **Ich denke ...**

a | Markieren Sie in den Wörtern (in der Tabelle) Ich- Ach- und Sch-Laute mit verschiedenen Farben.
Vergleichen Sie mit der Lösung und üben Sie die Aussprache.

Ich denke ... findet ...

frische Brötchen	Fleisch-gerichte	Deutsch-unterricht		herrlich	peinlich	schrecklich
Bauch-schmerzen	Besuch	Märchen-bücher		gemütlich	praktisch	schick
Einbau-küchen	Hochhäuser	Hochzeiten	... richtig ...	anstren-gend	schlimm	spannend
Knoblauch	Rauchen	Regen-schirme		hübsch	kitschig	komisch

 b | Bilden Sie aus den Angabe in der Tabelle Sätze (wie in der Sprechblase) und setzen Sie den Namen eines Lernpartners ein. Die genannte Person sagt, ob das stimmt, und ist als nächste dran.

> Ich denke, Alyssa findet frische Brötchen richtig herrlich!

 c | Spielen Sie eine Diskussion. Alle antworten mit: *Das finde ich auch.* bzw. *Das finde ich nicht.*

8 Sprechtheater

 _40 **a** | Hören Sie fünfmal den Ausspruch *Ach so* und verbinden Sie mit der emotionalen Bedeutung.

1 ○   ○ erfreut
2 ○   ○ traurig
3 ○   ○ wütend
4 ○   ○ ängstlich

b | Hören Sie noch einmal und sprechen Sie nach (vergleichen Sie vorher mit der Lösung).

 c | Sprechen Sie *Ach so* in einer selbst gewählten Emotion (1–4). Erkennen die anderen die Emotion?

> Ach so!

d | Wählen Sie einen Sketch aus. Hören Sie und markieren Sie alle Ich-Laute und alle Ach-Laute mit verschiedenen Farben.

Warum lachst du?   2 _41

A *(lacht)*
B Warum lachst du denn?
A Ich? Ach nichts …
B Du lachst über mich, oder? Hab ich vielleicht was Komisches an? Oder hab ich ein Loch im Strumpf …?
A Nein, nein … Guck doch mal, dort!
B Ach ja! Ach so! *(lacht auch)* Mensch, schrecklich! Schrecklich und witzig …
C *(kommt dazu)* Warum lacht ihr denn?
B Mensch, da … Ist das nicht peinlich?
C Ach Gott, naja …
AB *(hören erstaunt auf zu lachen)*

In der Tasche   2 _42

A Ich hab da was in der Tasche.
B Was denn? Taschentücher?
C Streichhölzer?
B Einen Spiegel?
A Nein, keine Taschentücher, keine Streichhölzer und auch keinen Spiegel. Hier, guckt doch mal!
B *(schaut in die Tasche)* Huuuch!
C *(schaut auch in die Tasche)* Ach so? Na schön.
A Möchtet ihr es haben?
BC Nicht nötig!

e | Hören Sie noch einmal und sprechen Sie leise mit.

 f | Proben Sie gemeinsam und spielen Sie Ihre Version vor. Wer macht es am schönsten? Eine Jury bewertet Originalität und Aussprache (v.a. Frikative: Sch-, Ich- und Ach-Laute).

9 Kuchen-Rap

2 _43 a | Hören Sie den Rap und lesen Sie den Text mit. Achten Sie auf Sch-, Ich- und Ach-Laute.

Kuchen, Kuchen, Kuchen.
Ich ess Kuchen früh, ich ess Kuchen spät,
ich ess Kuchen, bis die Sonne untergeht.
Und kommt mich jemand besuchen,
dann gibt's Kuchen.

Marmorkuchen, Käsekuchen –
möchtest du ein Stück versuchen?
Welcher Kuchen darf's denn sein?
Ich pack dir nachher noch was ein.
Jetzt hab ich keine Zeit,
es tut mir schrecklich leid.
Ich muss backen.

Kuchen, Kuchen, Kuchen.
Ich back Kuchen früh, ich back Kuchen spät.
Ich back Kuchen, bis die Sonne untergeht.
Und kommst du mich besuchen,
dann gibt's Kuchen.
Immer nur, immer nur … Kuchen!

b | Sprechen Sie (im Chor und mit Mimik und Gestik) mit.

c | Essen Sie auch gern Kuchen? Welchen? Zeigen Sie mit der Sprechweise, wie gut er Ihnen schmeckt.

> Ich esse gern Schokoladenkuchen.
> Hmmm!

10 Ein Nachtgedicht

Mondnacht

Es war, als hätt der Himmel
die Erde still geküsst,
dass sie im Blütenschimmer
von ihm nun träumen müsst.

Die Luft ging durch die Felder,
die Ähren wogten sacht,
es rauschten leis die Wälder,
so sternklar war die Nacht.

Und meine Seele spannte
weit ihre Flügel aus,
flog durch die stillen Lande,
als flöge sie nach Haus.

Joseph von Eichendorff (*1788 – †1857)

2 _44 a | Hören Sie das Gedicht und lesen Sie den Text mit. Achten Sie auf Sch-, Ich- und Ach-Laute.
Klären Sie unbekannte Wörter.

b | Hören Sie noch einmal – schließen Sie dabei die Augen. Welche Gefühle haben Sie?

c | Lesen Sie Zeile für Zeile. Experimentieren Sie: Variieren Sie Emotion, Betonung und Melodie.

d | Lesen Sie das Gedicht mit Mimik und Gestik vor. Sehen Sie die Zuhörer dabei an.

Lesen Sie das Gedicht laut und machen Sie davon eine Tonaufnahme. Hören Sie sich Ihre Aufnahme danach kritisch an: Markieren Sie Fehler (v. a. bei Ich-, Ach- und Sch-Lauten) und üben Sie, bis Sie selbst mit dem Ergebnis zufrieden sind.

14 Rund um die Uhr

Laute und Buchstaben	wichtige Regeln und Tipps
lenis-frikativ / ungespannt	▪ *r* ist ein deutlicher (konsonantischer) Laut [ʁ]: am Anfang von Wörtern und Silben (*rot*, *Brot*) und manchmal nach kurzem Vokal: *gern*, *Herr*.
[ʁ] **r** rot **rr** Herr **rh** **Rh**etorik	▪ Der R-Laut klingt wie ein schwacher Ach-Laut, man darf ihn auch als Zungenspitzen- oder Zäpfchen-R-Laut sprechen.
vokalisiert	▪ *r* ist vokalisiert (→ Vokal) [ɐ]: in Präfixen und Endungen mit *er* (**er**zählen, besser) und nach langem Vokal: *wir*.
[ɐ] **r** wir	▪ [ɐ] darf nicht wie deutliches (konsonantisches) *r* oder wie Schwa-Laut [ə] klingen: *bitte – bitter*.
[ɐ] **er-** **er**zählen **-er** bess**er**	

Auch rund!

1 So klingt es!

2 ⊙ _45   a │ So klingen R-Laute: Hören Sie und lesen Sie mit.
Achten Sie auf die R-Laute (fett).

Ein **R**ätsel

Sie **r**ennt im K**r**eis, wie jed**er** weiß, und schafft p**r**o Stunde eine **R**unde.
Sie bleibt am O**r**t, läuft niemals fo**r**t. – Was ist das nu**r**? Es ist die …?

2 ⊙ _46   b │ Hören Sie zweimal und lesen Sie zuerst leise und dann laut mit. Achten Sie auf die R-Laute (fett).

   1. [ʁ] (Konsonantisches r)   **R**unde | **R**ätsel | K**r**eis | O**r**t
   2. [ɐ] (Vokalisches r)   Uh**r** | nu**r** | jed**er**

2 Tricks für konsonantische und vokalische R-Laute

a │ Probieren Sie diese Tricks aus.

   ❗ Konsonantischer R-Laut [ʁ]: Sprechen Sie *auch* und danach ohne Pause *rot*: *auch_rot*.
   ❗ Vokalischer R-Laut [ɐ]: Betonen Sie in Wörtern besonders die Wortakzentsilbe und
   sprechen Sie die andere Silbe mit [ɐ] wie einen ganz schwachen kurzen O-Laut: *je*der

b │ Hören Sie noch einmal die Wörter aus 1b und sprechen Sie nach. Verwenden Sie für konsonantische
und vokalische R-Laute die Tricks aus 2a.

3 Wörter mit kleinen Unterschieden

2 _47 a | Hören Sie, achten Sie auf die Unterschiede und sprechen Sie nach.

    1. [- - ʀ]   Bett – **Br**ett | Boot – **Br**ot | Katzen – **kr**atzen | (Herr) Postler – (Herr) Po**r**stler
    2. [x - ʀ]   wa**ch**en – wa**r**ten | To**ch**ter – To**r**te | do**ch** – do**r**t | (Herr) Ku**ch**ental – (Herr) Ku**r**ental
    3. [l - ʀ]   **l**egen – **R**egen | **l**eise – **R**eise | **L**ücken – **R**ücken | he**ll** – He**rr** | ha**lt** – ha**rt**
    4. [ə - ɐ]   bitt**e** – bitt**er** | kein**e** – kein**er** | leis**e** – leis**er** | druck**e** – Druck**er**

2 _48 b | Hören Sie und unterstreichen Sie von jedem Wortpaar das gehörte Wort.

    c | Vergleichen Sie mit der Lösung. Lesen Sie zuerst die gehörten Wörter und dann die Wortpaare laut.

4 Bingo

  a | Spielanleitung: Jeder schreibt alle Wörter und Namen aus 3a in beliebiger Reihenfolge in die Tabelle.

Brett				
		BINGO		

  b | Nun liest einer die Wörter in beliebiger Reihenfolge vor. Gewinner ist, wer auf seiner Bingo-Karte alle Wörter in einer waagerechten, senkrechten oder diagonalen Spalte angekreuzt hat.

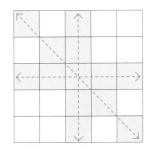

  c | Der Gewinner liest alle angekreuzten Wörter vor und beachtet die Aussprache der R-Laute.

5 R-Gedächtnisspiel

a | Spielanleitung: Kopieren Sie die Tafel mit den Spielkarten. Schneiden Sie alle Kärtchen aus, mischen Sie sie und legen Sie sie so aus, dass die Schrift unten ist. Jeder darf immer zwei Kärtchen aufdecken und liest die Wörter vor. Passen sie zusammen (gleiche Wortfamilie), darf er das Paar behalten. Gewonnen hat, wer am Schluss die meisten Wortpaare hat.

Markieren Sie in allen Wörtern den vokalischen und konsonantischen R-Laut mit verschiedenen Farben. Vergleichen Sie mit der Lösung und lesen Sie alle Wörter laut.

Lehrer und Lehrerin

Lehrer	Hörer	rauchen	sprechen	reagieren	rühren
Lehrerin	Hörerin	Raucher	Sprecher	reagiert	gerührt
Reiseführer	Fahrer	Sport	trainieren	bringen	frei
Reiseführerin	Fahrerin	Sportler	trainiert	verbringen	freier
stellen	korrigieren	Uhr	Ohr	Jahr	Meer
vorstellen	korrigiert	Uhren	Ohren	Jahre	Meere
arbeiten	breit	fragen	antworten	bereiten	schreiben
Arbeiter	breiter	Frage	Antwort	vorbereiten	verschreiben
hart	kräftig	groß	herrlich	leise	müde
härter	kräftiger	größer	herrlicher	leiser	müder

b | Varianten: a. Jeder nennt beim Aufdecken der passenden Kärtchen noch die grammatische Form auf dem grauen Kärtchen (z. B. Lehrerin = feminines Nomen); b.) Jeder muss zusätzlich noch einen Satz mit jedem Wort bilden; c. Jeder muss sagen, ob die R-Laute wie ein Konsonant oder wie ein Vokal klingen; d. Man kann das Spiel auch mit weniger Kärtchen-Paaren spielen.

6 Im Supermarkt

 _49 **a** | Hören Sie die Wortgruppen und markieren Sie konsonantische und vokalische R-Laute jeweils mit unterschiedlichen Farben.

ein frisches Brot | eine leckere Bratwurst | eine runde Brezel | eine braune Krawatte | rote Strümpfe | eine große Trommel | ein breites Brett | prima Pralinen | grünes Briefpapier | eine originelle Uhr | ein herrlicher Blumenstrauß | ein schwarzes Fahrrad | drei Briefmarken | eine große Sonnenbrille | rostfreie Schrauben | ein praktischer Rasierapparat | dreißig Streichhölzer

 _49 **b** | Hören Sie noch einmal und sprechen Sie nach.

 c | Machen Sie ein Kettenspiel. Jeder beginnt mit *Ich gehe in den Supermarkt und kaufe …*

> Ich gehe in den Supermarkt und kaufe
> ein frisches Brot und eine leckere Bratwurst …

7 Verloren!

 a | Schreiben Sie die Angaben in der Tabelle auf Zettel. Jeder bekommt ein Was- und ein Wo-Kärtchen, markiert zuerst auf seinen Zetteln die R-Laute (vokalisch, konsonantisch) und übt die Aussprache.

 Markieren Sie in der Tabelle vokalische und konsonantische R-Laute mit verschiedenen Farben. Vergleichen Sie mit der Lösung.

Was?				
Brille verloren!	Ring verloren!	Rollschuhe verloren!	Rucksack verloren!	Uhr verloren!
Rock verloren!	Brief verloren!	Wörterbuch verloren!	Reifen verloren!	Rad verloren!
Wo?				
auf der Straße	im Rathaus	auf der Rolltreppe	auf der Brücke	in der Bücherei
beim Frisör	in der Straßenbahn	im Theater	im Restaurant	im Riesenrad

 b | Jeder sagt, was er wo verloren hat und beschreibt den Gegenstand. Benutzen Sie dabei möglichst viele Wörter mit R-Lauten. Die anderen stellen Fragen und geben Tipps, wie man den Gegenstand wieder finden kann.

 _50 Hören Sie die Sätze (Was?) und die Wortgruppen (Wo?) aus der Tabelle und sprechen Sie nach.

> Ich habe meinen Autoreifen in der
> Bücherei verloren. Er ist rund.

 c | Erweitern Sie das Spiel: Schreiben Sie noch mehr Gegenstände und Orte mit R-Lauten auf und üben Sie damit.

8 Sprechtheater

a | Schreiben Sie die Aussprüche auf Zettel. Ziehen Sie einen Zettel. Überlegen Sie sich einen Gegenstand und sagen Sie nur den Ausspruch (mit Mimik und Gestik). Erraten die anderen den Gegenstand?

2 _51   Hören Sie die Beschreibungen und sprechen Sie emotional nach.

So groß!

| So groß! | Richtig rund! | Sehr schwer! | Super lecker! |
| Wirklich schrecklich! | Sehr warm! | Sehr hart! | Schrecklich sauer! |

b | Wählen Sie einen Sketch aus. Hören Sie und markieren Sie konsonantische und vokalische R-Laute mit verschiedenen Farben.

c | Hören Sie noch einmal und sprechen Sie leise mit.

Ein Fahrrad ohne Rad   2 _52

A Soll ich dir mal erzählen, was mir vor ein paar Jahren passiert ist, als ich mit dem Fahrrad durch die Wüste fuhr?

B Na klar!

A Also … ich fahre mit meinem Fahrrad und plötzlich fällt ein Rad ab.

B Oh wie schrecklich. Und dann?

A Ich bin abgestiegen und hab das Fahrrad getragen. War natürlich sehr schwer … und es war auch sehr warm. Plötzlich vor mir: ein Löwe!

B Das ist ja furchtbar! Was hast du gemacht?

A Na, ich bin sofort auf mein Fahrrad gesprungen und wie der Blitz davongefahren.

B Aber das Fahrrad hatte doch nur noch ein Rad.

A Na, das war mir in dem Moment völlig egal.

Ein Fahrrad ohne Licht   2 _53

A *(Polizist)* Hallo, hören Sie mal! Sofort absteigen und herkommen!

B *(Radfahrer)* Was ist los?

A Ihr Fahrrad hat kein Licht.

B Klar! Ich weiß.

A Klar? Und wieso fahren Sie dann damit? Wenn kein Licht am Fahrrad brennt, müssen Sie es schieben.

B Hab ich vorhin probiert. Das Licht brennt trotzdem nicht.

d | Proben Sie gemeinsam und spielen Sie Ihre Version vor. Wer macht es am schönsten?
Eine Jury bewertet Originalität und Aussprache (v.a. R-Laute).

9 Rolltreppen-Rap

2 💿_54   a | Hören Sie den Rap und lesen Sie den Text mit. Achten Sie auf die R-Laute.

b | Sprechen Sie (im Chor und mit Mimik und Gestik) mit.

Seit gestern wohn ich in 'nem neuen Block,
da fährt 'ne Rolltreppe bis in den dreizehnten Stock.
Damit fahr ich direkt bis an meine Tür.
Ich brauch keinen Fahrstuhl mehr dafür.
Ich springe einfach unten auf die Rolltreppe drauf
und schon fährt die Treppe in den Dreizehnten rauf.
Kurz vor meiner Tür spring ich schnell wieder runter
und fahr mit der anderen Treppe hinunter.
Ich geh nicht mehr in meine Wohnung rein,
ich finde Rolltreppefahren so fein.
Ich spring immer unten auf die Treppe drauf
und dann fährt die Treppe mit mir rauf.
Kurz vor der Tür spring ich schnell wieder runter
und fahr mit der anderen Treppe hinunter …

10 Ein Rosengedicht

Der Garten

Der Garten
öffnet seine Rosen
Sie duften sich
Sonnenworte zu

Nur Liebespaare
fangen sie auf
und grüßen zurück
in der Rosensprache.

Rosen antworten rot
mit herzlichem Duft
Duftworte
die sich liebkosen

Rose Ausländer (*1901 – †1988)

2 💿_55   a | Hören Sie das Gedicht und lesen Sie den Text mit. Achten Sie auf die R-Laute. Klären Sie
unbekannte Wörter.

b | Hören Sie noch einmal – schließen Sie dabei die Augen. Welche Gefühle haben Sie?

c | Lesen Sie Zeile für Zeile. Experimentieren Sie: Variieren Sie Emotion, Betonung und Melodie.

 d | Lesen Sie das Gedicht mit Mimik und Gestik vor. Sehen Sie die Zuhörer dabei an.

    Lesen Sie das Gedicht laut und machen Sie davon eine Tonaufnahme. Hören Sie sich Ihre Aufnahme
danach kritisch an: Markieren Sie Fehler (v. a. bei den R-Lauten) und üben Sie, bis Sie selbst mit dem
Ergebnis zufrieden sind.

15 Anfangen!

Laute und Buchstaben	wichtige Regeln und Tipps
[ŋ] **ng** sing**en** **n**(g) Ta**n**go **n**(k) tri**n**ken	• Im Ang-Laut für *ng* hört man fast nie einen Plosiv [g, k]. • *nk* spricht man mit Ang-Laut + [k]. • *n* und *g* oder *k* in verschiedenen Silben spricht man [n+g] *(an-geben)* bzw. [n+k] *(an-kommen)*. • Man darf [ŋ] nicht wie [n] sprechen: *Wanne – Wange*.

Anfang!

1 So klingt es!

2 __56   **a** | So klingen Ang-Laute: Hören Sie und lesen Sie mit.
Achten Sie auf die Ang-Laute (fett).

Liebeserklärung

Meine Frau **A**ngelika tanzt sehr gerne Ta**n**go.

Sie kommt aus Südamerika und isst am liebsten Ma**n**go.

Sie liest mir aus der Zeitu**ng** vor und si**ng**t mir leise was ins Ohr.

Ich sche**n**ke ihr zwei goldne Ri**ng**e und viele andre schöne Di**ng**e.

Dann tri**n**ken wir zusammen Sekt und essen noch ein Stück Konfekt.

2 __57   **b** | Hören Sie zweimal und lesen Sie zuerst leise und dann laut mit. Achten Sie auf die Ang-Laute (fett).

    1.   [ŋg]   **A**ngelika | Ta**n**go | Ma**n**go

    2   [ŋk]   sche**n**ken | tri**n**ken

    3.   [ŋ]   la**ng** | Zeitu**ng** | si**ng**en | Di**ng**e | Ri**ng**e

2 Trick für Ang-Laute

   a | Probieren Sie diesen Trick aus.

    ! Sprechen Sie zuerst [k]. An dieser Stelle wird auch der Ang-Laut gesprochen.
     Nun lockern Sie die Mundmuskeln und lassen Sie die Zunge ganz locker hängen.
     Sagen Sie *lang*. Stellen Sie sich dabei vor, dass die Zunge ganz entspannt ist.

2 __57   **b** | Hören Sie und sprechen Sie die Wörter aus 1b nach. Verwenden Sie für den Ang-Laut den Trick aus 2a.

3 Namen mit kleinen Unterschieden

2 _58   a | Hören Sie, achten Sie auf die Unterschiede und sprechen Sie nach.

1. [n – ŋ]   (Herr) We**nn**er – (Herr) We**ng**er | (Frau) Wi**nn**er – (Frau)Wi**ng**er |
(Herr) Ru**nn**el – (Herr) Ru**ng**el | (Frau) Ta**nn** – (Frau) Ta**ng**

2. [ŋk – ŋ]   (Herr) Ha**nk**el – (Herr) Ha**ng**el | (Frau) Bro**nk**ert – (Frau) Bro**ng**ert |
(Herr) Wi**nk**ler – (Herr) Wi**ng**ler | (Frau) Li**nk**e – (Frau) Li**ng**e

2 _59   b | Hören Sie und unterstreichen Sie von jedem Namenspaar das gehörte Wort.

c | Vergleichen Sie mit der Lösung. Lesen Sie zuerst die gehörten Namen und dann die Namenspaare laut.

4 Ortsschilder

2 _60   a | Hören Sie und ergänzen Sie die fehlenden Buchstaben *ng* oder *nk*.

b | Vergleichen Sie mit der Lösung und lesen Sie laut. Achten Sie auf die Ang-Laute.

5 Immer mehr

2 _61   a | Hören Sie die Nomen im Singular und Plural und sprechen Sie sie nach.

das Ding – die Dinge   die Verabredung – die Verabredungen
der Ring – die Ringe   die Zeichnung – die Zeichnungen
die Wohnung – die Wohnungen   die Zeitung – die Zeitungen

b | Spielen Sie ein Streitgespräch. Jeder hat mehr als der andere.

Ich habe einen Ring.

Na und! Ich hab zwei Ringe.

6 Sprechtheater

a | Schreiben Sie die Aussprüche auf Zettel. Ziehen Sie einen Zettel und sprechen Sie mit Mimik und Gestik. Die anderen sagen, ob Sie *freundlich* oder *unfreundlich* gesprochen haben.

2 _62

Hören Sie alle Aussprüche zuerst *freundlich* und dann *unfreundlich* und sprechen Sie emotional nach.

Sing doch mal!	Spring höher!	Keine Angst!	Denk dran!
Fang an!	Bring her!	Hier lang!	Achtung!

b | Wählen Sie einen Sketch aus. Hören Sie ein Muster und sprechen Sie leise mit. Achten Sie auf die Ang-Laute.

Die Zeitung von heute   2 _63

A Ich möchte bitte eine Zeitung.
B Gern! – Einen Euro bitte!
A Wieso einen Euro? Auf der Zeitung steht doch 70 Cent.
B Aber, aber … Glauben Sie etwa alles, was in der Zeitung steht?

Navigation   2 _64

B *(fährt Auto)*
A *(Stimme im Navigationsgerät)* Da, nach links. Du musst nach links abbiegen.
B Was? Hier lang?
A Nein, erst zur Kreuzung und dann nach links.
B Hier lang?
A Nein, da lang!
B Hier lang, da lang … So langsam wird das echt langweilig.
A Denkst du, mir macht das Spaß in dem blöden Navigationsding zu sitzen? Nichts zu trinken, nichts zu essen.
B Na gut, dann tauschen wir eben wieder.

c | Proben Sie gemeinsam und spielen Sie Ihre Version vor. Wer macht es am schönsten? Eine Jury bewertet Originalität und Aussprache (v.a. Ang-Laute).

7 Ding-Rap

2 _65 **a** | Hören Sie den Rap und lesen Sie den Text mit. Achten Sie auf die Ang-Laute.

In meiner Wohnung gibt's nur schöne Dinge:
Ich selbst trage nur teure Kleidung und Ringe
und um den Hals lange goldene Ketten.
Die Nächte verbring ich in teuren Betten.

Meine Klingel am Eingang ist aus Edelstein.
Du denkst wohl, ich lasse jeden herein?
Ohne Einladung darf mich niemand besuchen,
und niemand kommt ohne Geschenke und Kuchen.

Aber manchmal bin ich schon ziemlich allein.
Wenn du Lust hast, dann komm doch einfach mit rein.

b | Sprechen Sie (im Chor und mit Mimik und Gestik) mit.

8 Ein Schmetterlingsgedicht

Es war einmal ein buntes Ding
ein so genannter Schmetterling.
Der flog wie alle Falter
recht sorglos für sein Alter.
Er nippte hier – er nippte dort
und war er satt, so flog er fort.
Flog zu den Hyazinthen
und schaute nicht nach hinten.
So kam's, daß dieser Schmetterling
verwundert war, als man ihn fing.

Heinz Erhardt (*1909 – †1979)

2 _66 **a** | Hören Sie das Gedicht und lesen Sie den Text mit. Achten Sie auf die Ang-Laute. Klären Sie unbekannte Wörter.

b | Hören Sie noch einmal – schließen Sie dabei die Augen. Welche Gefühle haben Sie?

c | Lesen Sie Zeile für Zeile. Experimentieren Sie: Variieren Sie Emotion, Betonung und Melodie.

d | Lesen Sie das Gedicht mit Mimik und Gestik vor. Sehen Sie die Zuhörer dabei an.

Lesen Sie das Gedicht laut und machen Sie davon eine Tonaufnahme. Hören Sie sich Ihre Aufnahme danach kritisch an: Markieren Sie Fehler (v. a. bei Ang-Lauten) und üben Sie, bis Sie selbst mit dem Ergebnis zufrieden sind.

16 Hallo, ihr hier!

Laute und Buchstaben				wichtige Regeln und Tipps
Hauchlaut		Vokalneueinsatz Knacklaut		▪ *h* vor Vokal (am Anfang von Wörtern und Silben) ist ein schwacher Hauch-Laut: **h**alten, an**h**alten. ▪ *h* nach Vokal ist stumm und zeigt nur einen langen Vokal an: se**h**en. ▪ Vokale und Diphthonge am Wort- und Silbenanfang spricht man meistens mit hartem Vokalneueinsatz (→ Knacklaut): **a**lt.
[h]	**h h**alt	[ʔ]	alt	

1 So klingt es!

2 ⊙_67

So klingen H-Laute und Knacklaut: Hören Sie und lesen Sie mit.
Achten Sie auf die markierten Buchstaben (fett).

Kommt heut der Hans zu mir?
Heut kommt der **H**ans zu mir,
freut sich die Lies.
Ob **e**r **a**ber **ü**ber **O**berammergau
oder **a**ber **ü**ber **U**nterammergau
oder **a**ber **ü**berhaupt nicht kommt,
ist nicht gewiss. *(Volkslied)*

Ha-ha-ha Hallo ihr hier!

2 Tricks für Hauchlaut und Knacklaut

a | Probieren Sie diese Tricks aus.

❗ **H-Laut** [h]: Hier helfen die folgenden Tricks:
– Lachen: *haha, hehe, hihi, hoho.*
– In die offenen Hände hauchen: *h-h-h-h.*
– Fensterscheibe oder Spiegel anhauchen: *h-h-h-h.*
– Weiche und fließende Handbewegung machen und dabei *haaaa* sagen.
❗ **Knack-Laut** [ʔ]: Deutliche Handbewegung machen und dabei ganz spontan einen Vokal sagen.

2 ⊙_68   b | Hören Sie und sprechen Sie nach. Verwenden Sie für *H-Laut* und *Knacklaut* den Trick aus a.

1. [h] (H-Laut) **H**and | **H**eft | **h**ier | **H**obby | **H**und
2. [ʔ] (Knacklaut) **a**n | **e**r | **i**hr | **o**ft | **u**nd

3 Wörter und Wortgruppen mit kleinen Unterschieden

2 💿_69 a | Hören Sie, achten Sie auf die Unterschiede und sprechen Sie nach.

1. Knacklaut – H-Laut

   alle – **Ha**lle | **a**lt – **ha**lt | **E**ssen – **He**ssen | **in** – **hi**n | **au**s - **Hau**s | ver**a**lten – ver**ha**lten

2. Knacklaut – verbundene Konsonanten

   von Ina – von Nina | im Ei – im Mai | aus Ahlbach – aus Saalbach |
   Berlin erleben! – Berliner Leben!

2 💿_70 b | Hören Sie und unterstreichen Sie von jedem Wort(gruppen)paar das gehörte Wort.

c | Vergleichen Sie mit der Lösung. Lesen Sie zuerst die gehörten Wörter / Wortgruppen und
dann die Wort(gruppen)paare laut. Machen Sie dabei Gesten für Hauchlaut und Knacklaut.

4 Sätze mit Lücken

2 💿_71 a | Hören Sie und ergänzen Sie die fehlenden Buchstaben oder Wörter.

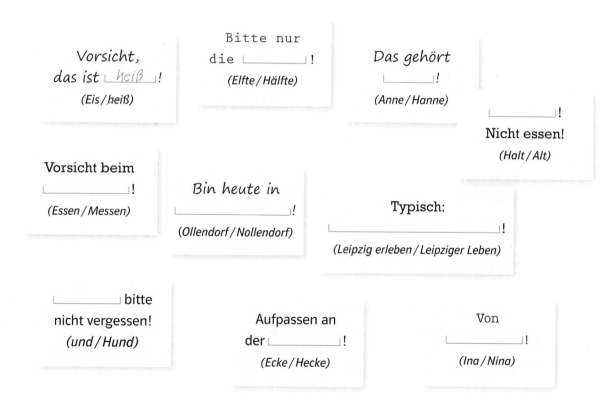

Vorsicht,
das ist ⌊ heiß ⌋!
(Eis / heiß)

Bitte nur
die ⌊_____⌋!
(Elfte / Hälfte)

Das gehört
⌊_____⌋!
(Anne / Hanne)

⌊_____⌋!
Nicht essen!
(Halt / Alt)

Vorsicht beim
⌊_____⌋!
(Essen / Messen)

Bin heute in
⌊_____⌋!
(Ollendorf / Nollendorf)

Typisch:
⌊_____⌋!
(Leipzig erleben / Leipziger Leben)

⌊_____⌋ bitte
nicht vergessen!
(und / Hund)

Aufpassen an
der ⌊_____⌋!
(Ecke / Hecke)

Von
⌊_____⌋!
(Ina / Nina)

b | Vergleichen Sie mit der Lösung und lesen Sie laut. Achten Sie auf H-Laute und Knacklaute.

c | Üben Sie weiter: Einer liest seine Variante vor, die anderen ergänzen. Vergleichen Sie anschließend.

5 Brettspiel für H-Laute und Knacklaute

 a | Spielanleitung: Jeder bekommt eine Spielfigur. Würfeln Sie reihum und rücken Sie mit der Spielfigur die entsprechende Felderzahl vorwärts. Sagen Sie das gesuchte Wort. Kontrollieren Sie gegenseitig die Aussprache von H-Laut und Knacklaut. Gewinner ist, wer zuerst am Ziel ist.

 Schreiben Sie die gesuchten Wörter auf und lesen Sie die Wörter laut.

START ▶

| 1 ein- | 2 hin- | 3 an- | 4 auf- | 5 -heit | 6 aus- | 7 ab- | 8 Aus- | 9 Ein- |

Sagen Sie ein Wort mit …

| 10 Hand- |

| 18 er- | 17 über- | 16 unter- | 15 um- | 14 hier- | 13 un- | 12 her- | 11 Haus- |

ZIEL ◀

b | Wiederholen Sie das Spiel und bilden Sie mit jedem gesuchten Wort einen Satz.

c | Erzählen Sie nun mit jedem gesuchten Wort eine gemeinsame Geschichte. Alle Sätze müssen zusammenpassen.

6 Sag die Wahrheit!

2 🔘_72   **a** | Hören Sie die Fragen und markieren Sie die H-Laute und Knacklaute mit verschiedenen Farben.

Hast du einen Hund zu Hause?
Spielst du Handball?
Bist du verheiratet?
Hörst du gern Hip-Hop?
Isst du gern Honig?
Hast du einen Hut zu Hause?

Wie heißt deine Mutter?
Isst du gern Eis?
Hast du ein Auto?
Hast du Hunger?
Hast du Heimweh?
Hast du Herzklopfen?

b | Hören Sie noch einmal und sprechen Sie nach.

 c | Wählen Sie eine Frage und stellen Sie sie Ihrer Lernpartnerin / Ihrem Lernpartner. Beginnen Sie jede Frage mit: *Sag die Wahrheit*. Ihre Lernpartnerin / Ihr Lernpartner darf die Wahrheit sagen oder lügen. Erkennen Sie, ob es die Wahrheit oder eine Lüge ist? Woran?

> Sag die Wahrheit:
> Hast du einen Hund zu Hause?

> Natürlich habe ich einen Hund zu Hause.

d | Wiederholen Sie das Spiel. Ihre Lernpartnerin / Ihr Lernpartner antwortet nun ausführlicher.

7 Sprechtheater

a | Schreiben Sie die Emotionen und die Aussprüche auf Zettel. Ziehen Sie jeweils einen Zettel. Sprechen Sie mit Mimik und Gestik. Die anderen raten, welche Emotion Sie haben.

2 _73 Hören Sie die Aussprüche zuerst *ängstlich / erschrocken* und dann *fröhlich* und sprechen Sie emotional nach.

Emotionen:	fröhlich	sehr ärgerlich / wütend	ängstlich / erschrocken	neutral

Aussprüche:	Hallo!	Hierher!	Hilfe!	Halt an!	Komm her!
	Bleib hier!	Hör auf!	Anhalten!	Aufhören!	Hör mal!

2 _74 b | Hören Sie den Sketch und sprechen Sie leise mit. Achten Sie auf H-Laut und Knacklaut.

Hanne und Anne?

A Hallo, Anne, hallo Hanne! Ihr hier?
BC Hallo …?
A Wir haben uns ja lange nicht gesehen.
BC Ja … ??? Kennen wir uns?
A Wohnt ihr immer noch hier in Halle?
B In Halle?
C Wir wohnen in Heidelberg.
A Ah, in Heidelberg. Aber warum Heidelberg? Hat es euch in Halle nicht mehr gefallen?

C Also ich bin zum ersten Mal hier in Halle.
B Ich auch.
A Na, aber ihr seid doch Anne und Hanne aus der Heckenstraße.
B Nein umgekehrt, ich bin Hanne und das ist Anne.
C … aus der Eckenstraße
BC … in Heidelberg.
A Häää?

c | Proben Sie gemeinsam und spielen Sie Ihre Version vor. Wer macht es am schönsten? Eine Jury bewertet Originalität und Aussprache (v. a. Hauchlaut [h] und Vokalneueinsatz).

8 Hochhaus-Rap

2 _75 a | Hören Sie den Rap und lesen Sie den Text mit. Achten Sie auf H-Laute und Knacklaute.

b | Sprechen Sie (im Chor und mit Mimik und Gestik) mit.

Passt auf, ihr! Heut' erzähl ich vom Hochhaus.
Das sieht von unten unheimlich hoch aus.
Direkt unterm Dach wohne ich da.
Und bin dort oben dem Himmel ganz nah.
Ihr schaut herauf und ich schau hinunter.
„Herzliche Grüße!", rufe ich munter.

Ich bin hier! Hört ihr nicht? Winkt doch mal!
Ihr habt keine Lust? Na, ist auch egal!
Ich find es so herrlich, hier oben zu leben,
den Wolken am Himmel die Hand zu geben …
Oben der Himmel und unten … ihr
Mal bin ich ganz unten und jetzt gerade hier.

Passt auf, ihr! Heut' erzähl ich vom Hochhaus.
Das sieht von unten unheimlich hoch aus.
Es sieht hoch aus – mein Hochhaus!

c | Möchten Sie gern in einem Hochhaus leben? Warum (nicht)? Erzählen Sie.

17 Zeit für Deutsch

Laute und Buchstaben	Wichtige Regeln und Tipps
[ts] **z** Zoo **zz** Pizza **tz** Katze **-tion** Lektion	▪ Es gibt feste Konsonantenverbindungen aus Plosiv + Frikativ (→ Affrikaten). ▪ Es gibt noch andere Konsonantenverbindungen aus zwei oder drei Konsonanten, z. B. *blau*, *grün*, *schwarz*, *streng*. ▪ Am Silbenende und zwischen Silben gibt es oft sehr viele Konsonanten: *du schimpfst*, *Herbstspaziergang*. ▪ Alle Konsonanten müssen deutlich gesprochen werden.
[ks] **x** Text **ks** links **-gs** montags	
[kv̯] **qu** Qualität	
[pf] **pf** Kopf	
[tʃ] **tsch** Deutsch	

1 So klingt es!

2 🔘_76 **a |** So klingen Konsonantenverbindungen: Hören Sie und lesen Sie mit. Achten Sie auf die markierten Buchstaben (fett).

Umfrage:

Wir haben **zw**ölf **St**udenten gefragt. Was essen Sie mitta**gs** am lie**bst**en in der Mensa? Das haben sie geantwortet:

- **Zw**iebelkuchen.
- Wür**stch**en mit Ke**tsch**up.
- Gar ni**chts**.
- Ke**ks**e.
- **Z**itronenpudding.
- A**pf**elmus.

- **Pfl**aumenklöße.
- Pi**zz**a.
- Kartoffeln mit **Qu**ark.
- **Qu**arkkuchen.
- Einen A**pf**el.
- Ni**x**.

2 🔘_77 **b |** Markieren Sie [ts], [ks], [kv̯], [pf], [tʃ] in den Wörtern mit verschiedenen Farben. Hören Sie dann zweimal und lesen Sie zuerst leise und dann laut mit.

mitta**gs** | Zwiebel | Ketschup | nichts | Kekse | Zitrone | Pflaume | Pizza | Quark | Apfel

2 Tricks für Konsonantenverbindungen

a | Probieren Sie diese Tricks aus.

! Sprechen Sie die zwei Konsonanten der Konsonantenverbindung zuerst langsam und getrennt und später immer schneller und zusammen:

[ts] Sprechen Sie zuerst *nicht ...s* und *T ...soo (Zoo)* und dann *nichts* und *Zoo*.

[ks] Sprechen Sie zuerst *mittag ...s* und dann *mittags*.

[pf] Sprechen Sie zuerst *Kop ...f* und *P ...fund* und dann *Kopf* und *Pfund*.

[tʃ] Sprechen Sie zuerst *Deut ...sch* und dann *Deutsch*.

[kv̥] Sprechen Sie zuerst *K ...wark (Quark)* und dann *Quark*.

2 ◯_78 b | Hören Sie und sprechen Sie nach. Verwenden Sie den Trick aus a.

1. [ts] rech**ts** | **Z**ahn   2. [ks] lin**ks** | Te**x**t   3. [kv] **Qu**alität | **Qu**adrat

4. [pf] To**pf** | **Pf**effer   5. [tʃ] Deu**tsch**

3 Wörter mit kleinen Unterschieden

2 ◯_79 a | Hören Sie, achten Sie auf die Unterschiede und sprechen Sie nach.

1. [t - ts]   rech**t** – rech**ts** | nich**t** – nich**ts** | ne**tt** – Ne**tz** | **T**eile – **Z**eile

2. [z/s - ts]   **s**o – **Z**oo | **s**eit – **Z**eit | hei**ß**en – hei**z**en | Kur**s** – kur**z**

3. [k/s - ks]   Mitta**g** – mitta**gs** | (er) trin**k**t – (du) trin**ks**t | Te**s**t – Te**x**t | (du) lie**s**t – (du) lie**gs**t

4. [p/f - pf]   (Herr) Ho**pp**ner – (Herr) Ho**pf**ner | (Frau) Li**pp** – (Frau) Li**pf** | (Herr) Ri**ff**el – (Herr) Ri**pf**el | (Frau) De**ff**ner – (Frau) De**pf**ner

2 ◯_80 b | Hören Sie und unterstreichen Sie von jedem Wortpaar das gehörte Wort.

c | Vergleichen Sie mit der Lösung. Lesen Sie zuerst die gehörten Wörter und dann die Wortpaare laut.

4 Aus der Zeitung

2 ◯_81 a | Hören Sie und ergänzen Sie die fehlenden Wörter.

Mittags auf dem Zeltplatz! *(Mittag / Mittags)*

Komplizierter _____! *(Test / Text)*

_____ nach langer Zeit wieder gefunden! *(Kasse / Katze)*

Kalter _____ nach dem Winterspaziergang? *(Tee / Zeh)*

Trotzdem war es _____! *(Kurt / kurz)*

_____ du richtig? *(Liest / Liegst)*

_____ auf Deutsch! *(Nicht / Nichts)*

_____ wächst immer weiter! *(Alles / Alex)*

Warum _____ du so? *(schreist / schreibst)*

Du _____ viel! *(weißt / weinst)*

b | Vergleichen Sie mit der Lösung und lesen Sie laut. Achten Sie auf die Konsonantenverbindungen.

c | Üben Sie weiter: Einer liest seine Variante der Schlagzeilen vor, die anderen ergänzen. Vergleichen Sie anschließend.

5 Neugierige Fragen

a | Jeder stellt einem Lernpartner eine Frage. Der darf, aber muss nicht ehrlich antworten.

 2 _82

Hören Sie die Fragen und sprechen Sie nach.

- Pfeifst du unter der Dusche?
- Hast du Angst vor dem Zahnarzt?
- Träumst du manchmal auf Deutsch?
- Magst du Boxwettkämpfe?
- Magst du Volksmusik?
- Trägst du gern Anzüge und Krawatten?

- Parkst du manchmal im Parkverbot?
- Bist du immer pünktlich?
- Tanzt du gern Salsa oder Walzer?
- Schimpfst du manchmal?
- Trinkst du gern Apfelsaft?
- Bist du immer zufrieden?

b | Denken Sie sich noch mehr Fragen aus.

6 Zwischen zwei Mahlzeiten

a | Machen Sie mit den Wortgruppen ein Kettenspiel. Kontrollieren Sie gegenseitig, ob die Konsonantenverbindungen richtig gesprochen sind.

 2 _83

Hören Sie die Wortgruppen und sprechen Sie nach.

zwei Fenster putzen | einen Text schreiben | etwas Deutsch lernen | zwei Apfelbäume pflanzen | das Quiz in der Zeitung lösen | einen Boxwettkampf ansehen | ein bisschen Saxofon spielen | einen Zitronenpudding kochen | einen Witz erzählen | meine Werkzeugkiste aufräumen

> Zwischen zwei Mahlzeiten kann ich noch kurz zwei Fenster putzen.

> Zwischen zwei Mahlzeiten kann ich noch kurz zwei Fenster putzen und die Zeitung lesen.

b | Erweitern Sie das Spiel: a. Was kann man noch alles zwischen zwei Mahlzeiten machen? b. Was kann man alles *im Zug auf der Fahrt zwischen Zwickau und Zeitz* machen?

7 Sprechtheater

 2 _84 a | Hören Sie den Sketch und sprechen Sie leise mit. Achten Sie auf Konsonantenverbindungen.

Zwei wollen sich nicht verstehen

A Was suchen Sie denn da?
B Ich habe meinen Knopf verloren …
A Ihren Kopf? Ach so …
B Im Zoo? Nein, nicht im Zoo. Hier
    im Zug. Vielleicht unter Ihrem Fuß.
    Stehen Sie bitte mal kurz auf. Ich
    glaub, Sie stehen mit dem Zeh drauf.

A Also, ich heiße nicht Kurt und Tee trinke ich
    auch nicht. Aber einen Sekt vielleicht …?
B Mir egal, was Ihnen schmeckt. Ich will jetzt
    meinen Knopf.
A Also ich habe Ihren Kopf nicht. So!
B Warum reden Sie jetzt schon wieder vom Zoo?
A Also mir reicht's jetzt wirklich!

b | Schreiben Sie alle Wortpaare (Missverständnisse aus dem Sketch) auf und lesen Sie laut.

Knopf – ⌞_____⌟, ⌞_____⌟ – ⌞_____⌟,

⌞_____⌟ – ⌞_____⌟, ⌞_____⌟ – ⌞_____⌟,

⌞_____⌟ – ⌞_____⌟

 c | Proben Sie gemeinsam und spielen Sie Ihre Version vom Sketch vor. Wer macht es
    am schönsten? Eine Jury bewertet Originalität und Aussprache (v. a. Konsonantenverbindungen).

8 Ein Wurzelgedicht

Die zwei Wurzeln

Zwei Tannenwurzeln groß und alt
unterhalten sich im Wald.

Was droben in den Wipfeln rauscht,
das wird hier unten ausgetauscht.

Ein altes Eichhorn sitzt dabei
und strickt wohl Strümpfe für die zwei.

Die eine sagt: knig. Die andre sagt: knag.
Das ist genug für einen Tag.

Christian Morgenstern (*1871–†1914)

2 _85 a | Hören Sie das Gedicht und lesen Sie den Text mit. Achten Sie auf Konsonantenverbindungen.
    Klären Sie unbekannte Wörter.

b | Hören Sie noch einmal – schließen Sie dabei die Augen. Welche Gefühle haben Sie dabei?

c | Lesen Sie Zeile für Zeile. Experimentieren Sie: Variieren Sie Emotion, Betonung und Melodie.

 d | Lesen Sie das Gedicht mit Mimik und Gestik vor. Sehen Sie die Zuhörer dabei an.

 Lesen Sie das Gedicht laut und machen Sie davon eine Tonaufnahme. Hören Sie sich Ihre Aufnahme
    danach kritisch an: Markieren Sie Fehler (v. a. bei Konsonantenverbindungen) und üben Sie,
    bis Sie selbst mit dem Ergebnis zufrieden sind.

18 Gute Aussichten!

Wichtige Regeln und Tipps

Auch ungespannte Plosive und Frikative (→ Lenisplosive und -frikative) sind oft stimmlos und werden relativ kräftig gesprochen. (→ progressive Assimilation).

Beispiel:

Bernd liebt Babett,
[pt b̥]

denn Babett ist nett!
[nb]

bt in *liebt* sind ungespannt / fortis + stimmlos (→ Auslautverhärtung). Deshalb wird der folgende Leniskonsonant *b* auch stimmlos.

Nach einem Nasal (z. B. *n*) oder nach [l] oder [ɾ] oder nach Vokalen verändert sich nichts.

Gute Aussichten!

---

1 So klingt es!

2 _86   **a** | Hören Sie und lesen Sie mit. Achten Sie auf die fett markierten Buchstaben.

Umfrage:

Wir haben zehn Menschen gefragt: Welche Stadt gefällt Ihnen in Deutschland am besten?
Das haben sie geantwortet:

- Dre**sd**en.
- Stu**ttg**art.
- Ha**mb**urg.
- Ba**d B**erka in Thüringen.
- Li**mb**urg.
- Au**gs**burg.
- Wür**zb**urg.
- Po**ts**dam.
- Heide**lb**erg.
- Düsse**ld**orf.

2 _87   **b** | Hören Sie und achten Sie auf die markierten Buchstaben (fett).

1. Alles stimmlos: Dre**sd**en | Stu**ttg**art | Au**gs**burg | Wür**zb**urg | Po**ts**dam | Ba**d B**erka
2. Alles stimmhaft: Ha**mb**urg | Li**mb**urg | Heide**lb**erg | Düsse**ld**orf

2 Tricks zur Assimilation

a | Probieren Sie diesen Trick aus.

❗ Sprechen Sie alle Fortis- + Leniskonsonanten (fett) nacheinander deutlich und mit sehr viel Spannung: Er *liebt Babett*.

2 _87   **b** | Hören Sie und sprechen Sie die Städtenamen aus 1b nach. Verwenden Sie den Trick aus 2a.

3 | Wörter mit kleinen Unterschieden

2 ◉_88 a | Hören Sie, achten Sie auf die Unterschiede: im ersten Beispiel spricht man die markierten Laute stimmhaft und im zweiten Beispiel stimmlos.

b | Hören Sie noch einmal und sprechen Sie nach.

1. ei**n** **B**ild – da**s** **B**ild | ei**n** **B**uch – da**s** **B**uch | ei**n** **G**las – da**s** **G**las
2. Hi**mb**eeren – Er**db**eeren | Apfe**lw**ein – Wei**ßw**ein | Nude**ls**uppe – Pi**lz**suppe
3. a**ng**eben – au**sg**eben | a**ns**ehen – au**ss**ehen | e**r** **g**eht – e**s** **g**eht

4 | Assimilations-Würfelspiel

Würfeln Sie reihum und sagen Sie das gesuchte Wort. Kontrollieren Sie gegenseitig, ob Sie alle Konsonanten zusammen richtig gesprochen haben.

Lösen Sie die Aufgaben und sprechen Sie die Lösungen laut.

⚀ Kombinieren Sie ein zusammengesetztes Verb aus: *gehen / sehen / bauen +
    aus- / weg- / ab-*.
⚁ Nennen Sie ein Nomen mit Artikel *das* und Anfangsbuchstaben *B*, *D* oder *G*.
⚂ Nennen Sie ein zusammengesetztes Nomen mit *Eis-*.
⚃ Bilden Sie einen Satz mit: *Ich bin …* oder *Ich gehe …* oder *Ich sehe …*
⚄ Stellen Sie einem Lernpartner eine Frage mit *Bist du …?* oder *Kannst du …?*
    oder *Willst du …?*
⚅ Geben Sie einem Lernpartner einen guten Rat mit *Du sollst doch …*

5 | Aufforderungen und Bitten

a | Spielen Sie Szenen. Benutzen Sie die Aufforderungen und sprechen Sie erst nachdrücklich und dann immer ärgerlicher (wie in der Sprechblase).

2 ◉_89

Hören Sie nachdrückliche Aufforderungen und sprechen Sie nach.

Gib das Bild her! | Leg das Buch weg! | Mach den Tisch sauber! |
Bring das Salz her! | Pack das Deutschbuch weg! |
Pack den Rucksack aus! | Wirf das Blatt weg! | Trink das Glas Saft aus!

> Gib doch endlich mal das Bild her. Du sollst doch endlich mal das Bild hergeben!

b | Wiederholen Sie die Szenen und sprechen Sie jetzt noch nachdrücklicher.

c | Spielen Sie die Szenen jetzt freundlich.

> Gib doch bitte mal das Bild her!

6 Sprechtheater

a | Schreiben Sie die Wörter auf Zettel. Ziehen Sie einen Zettel und fragen Sie eine Lernpartnerin / einen Lernpartner, ob sie / er das mag oder will. Sprechen Sie so, dass man hört, ob Sie das selbst gern mögen oder nicht.

> Magst du … / Willst du …?

Erdbeeren	Fleischsalat	Obstsalat	Fruchtsaft
Weißwein	Rotwein	Bratwurst	Weißbrot
Pilzsuppe	Wurstbrötchen	Obstsaft	Schwarzbrot

 2 _90

Hören Sie die Wörter mit *begeisterter* Sprechweise und sprechen Sie sie emotional nach.

b | Wählen Sie einen Sketch aus. Hören Sie ein Muster und sprechen Sie leise mit.

Das gibt's doch nicht! 2 _91

A Das gibt's doch gar nicht. Das glaubst
    du nicht.
B Das sage ich dir!
A Das ist so verrückt!
B Da fragst du dich …
A Ja, da fragst du dich wirklich.
B Ich hab's gleich gewusst …
A Trotzdem … Das geht gar nicht!
B Echt doof!
C Was denn?
AB Ach nichts …

Erdbeeren 2 _92

A Magst du Erdbeeren?
B Erdbeeren? Klar! Hmm! Hast du welche?
A Willst du welche haben?
B Jaaaa, wo sind sie denn?
A Also pass auf: Du gehst ins Geschäft und
    kaufst sie. Und dann bringst du mir bitte
    auch gleich welche mit.

c | Proben Sie gemeinsam und spielen Sie Ihre Version vor. Wer macht es am schönsten?
Eine Jury bewertet Originalität und Aussprache (v. a. stimmlose Konsonanten).

7 Trotzdem-Rap

2 _93 **a |** Hören Sie den Rap und lesen Sie den Text mit.

b | Sprechen Sie (im Chor und mit Mimik und Gestik) mit.

Auch wenn der Himmel weint,
wenn die Sonne nicht scheint
und wenn mir niemand schreibt
und mir nichts übrig bleibt –
    ich denke: Trotzdem!
    Ganz einfach: Trotzdem!

Obwohl auch du nun gehst,
weil du mich nicht verstehst,
und sagst: Das Hin und Her –
das magst du längst nicht mehr.
    Ich sage: Trotzdem!
    Sag ganz laut: Trotzdem!

Ich bleib trotzdem ich
und denke: Eigentlich
ist es auch so ganz gut
und ich hab einfach Mut.
Und ich sage: Trotzdem!
Und wieder: Trotzdem!
Trotzdem, trotzdem, trotzdem!
Trotzdem!

8 Ein Ich-Gedicht

Nur zwei Dinge

Durch so viele Formen geschritten,
durch Ich und Wir und Du,
doch alles blieb erlitten
durch die ewige Frage: wozu?

Das ist eine Kinderfrage.
Dir wurde erst spät bewußt,
es gibt nur eines: ertrage
– ob Sinn, ob Sucht, ob Sage –
dein fernbestimmtes: Du mußt.

Ob Rosen, ob Schnee, ob Meere,
was alles erblühte, verblich,
es gibt nur zwei Dinge: die Leere
und das gezeichnete Ich.

Gottfried Benn (*1886 – †1956)

2 _94 **a |** Hören Sie das Gedicht und lesen Sie den Text mit. Achten Sie auf stimmlose Lenis-Konsonanten.
Klären Sie unbekannte Wörter.

b | Hören Sie noch einmal – schließen Sie dabei die Augen. Welche Gefühle haben Sie?

c | Lesen Sie Zeile für Zeile. Experimentieren Sie: Variieren Sie Emotion, Betonung und Melodie.

 d | Lesen Sie das Gedicht mit Mimik und Gestik vor. Sehen Sie die Zuhörer dabei an.

 Lesen Sie das Gedicht laut und machen Sie davon eine Tonaufnahme. Hören Sie sich Ihre Aufnahme
danach kritisch an: Markieren Sie Fehler (v. a. bei stimmlosen Konsonanten) und üben Sie, bis Sie
selbst mit dem Ergebnis zufrieden sind.

Lösungen

Modul 1

4 Vogel, Sport, gelb, CD, mehr

5 b ●-● Vokal, Silbe, sprechen; ●-●-● Konsonant, Phonetik, Alphabet, markieren; ●-●-●-● buchstabieren.

Modul 2

1 b **weg**sehen, **zu**sehen, ge**seh**en, **Fern**sehen, **um**sehen, **un**sichtbar, **aus**sehen, **vor**sehen

3 b, c Jo**han**nes = Jo**han**na; **An**ton ≠ An**to**nia; **Ga**briel ≠ Gabri**e**le; **Ju**lian ≠ Juli**a**ne; An**dre**as = An**dre**a

4 a Und wieder war es Au**gust**! Bitte wieder**hol**en! **Ein**fach? Nicht zu glauben! **Ein**laden und alle kommen! **Vor**mittag in der Schule!

5 a Nomen Sing. (maskulin): **Leh**rer, **A**rbeiter, **Fah**rer, **Käu**fer, **Spre**cher, **Hö**rer; Nomen Sing. (feminin): **Leh**rerin, **A**rbeiterin, **Fah**rerin, **Käu**ferin, **Spre**cherin, **Hö**rerin; Nomen Plural (feminin): **Leh**rerinnen, **A**rbeiterinnen, **Fah**rerinnen, **Käu**ferinnen, **Spre**cherinnen, **Hö**rerinnen; Verb (Infinitiv): **leh**ren, **a**rbeiten, **fah**ren, **kau**fen, **spre**chen, **hö**ren; Verb (Partizip Perfekt): ge**leh**rt, ge**a**rbeitet, ge**fah**ren, ge**kau**ft, ge**spro**chen, ge**hö**rt

6 a Wortakzent auf der 1. Silbe: **Ei**ngang, **Woh**nzimmer, **ei**nziehen, **A**ltbau, **A**nzeige, **Au**fzug, **Ei**nbauküche, **Mie**te, **Fe**rnseher, **Ro**lltreppe, **Hau**smeister, **Ke**ller. Wortakzent auf der 2. Silbe: mö**blie**rt, Bü**ro**, be**quem**, Ge**bäu**de, A**dre**sse, All**ee**, Apa**rte**ment, Bal**kon**, be**sich**tigen, Fa**mi**lie, Ga**ra**ge, Gar**di**ne. Wortakzent auf der 3. oder 4. Silbe: repa**rie**ren, reno**vie**ren, Batte**rie**, Tele**fon**, Bäcke**rei**, deko**rie**ren, finan**zie**ren, instal**lie**ren, interes**sant**, rekla**mie**ren, Mobili**tät**, organi**sie**ren.

8 a Mo**ment**! **A**ngenehm! **Bi**tte schön! **Da**nke schön! Be**ei**lung! **E**ndlich! Entschu**l**digung! Hervo**r**ragend! Phäno**men**al! **Pei**nlich!

8 b **Erziehung:** **Wu**rstbrötchen. (…) Appe**tit**! (…) **Kä**sebrötchen! (…) ge**sa**gt. (…) **sa**gte (…) **Scha**fskäse (…) Marmel**a**denbrötchen (…) B**rö**tchen, Marmel**a**de, **Bu**tter! (…)
Heute nicht!: Be**ei**lung! (…) Wa**rum**? Wo**hin**? (…) Kon**zert** (…) **Mi**ttwoch! Entschu**l**digung! (…) Phänomen**al**! (…) **Au**fstehen! **A**nziehen! (…) **Do**nnerstag! (…) hervo**rra**gend!

Modul 3

3 b, c Nehmen Sie **Platz**! ≠ Wie **geht** es Ihnen? | Mir geht es **gut**. = Alles per**fekt**! $ **Hö**ren Sie mich? ≠ Ist es **gut** so? | Das **gibt** es doch nicht. = Ent**schul**digen Sie. | Es geht jetzt gleich **los**. = Es ist gleich vor**bei**.

4 b, c Um fünf Uhr **fünf**zig (●-●-●-●-●) klingelte mein **We**cker. (●-●-●-●-●)
Um sechs Uhr **zehn** (●-●-●-●) stand ich **auf**. (●-●-●)

Um sieben Uhr **zehn** (●-●-●-●-●) ging ich aus dem **Haus**. (●-●-●-●-●)
Sieben Uhr **drei**ßig (●-●-●-●-●) kam der **Bus**. (●-●-●)
Um sieben Uhr **fünf**unddreißig (●-●-●-●-●-●-●) sah ich in deine **Au**gen. (●-●-●-●-●-●-●)

6 a, b Das ist ja **toll**! (●-●-●-●-●); Das ist ja un**glaub**lich! (●-●-●-●-●-●); Einfach ver**rückt**! (●-●-●-●); Das **glaub** ich nicht! (●-●-●-●); Das ist ja **Wahn**sinn! (●-●-●-●-●); Das ist **schön**! (●-●-●); Das ist ja **su**per! (●-●-●-●-●)

8 b
Im Restaurant: Guten **Tag**. (…) Zwei Stück **Quark**torte, / eine Tasse **Kaf**fee / und einen **Erd**beersaft. (…) Dann zwei **Kaf**fee. (…) Wir haben keine **Milch** mehr. (…) Dann bitte **Ap**felkuchen. (…) Dann nur **Kaf**fee. (…) Tut mir **leid**! Kaffee ist **auch** alle!

Sprichwörter: (…) Reden ist **Sil**ber, / Schweigen ist **Gold**. (…) Man soll den **Tag** / nicht vor dem **A**bend loben. (…) Wenn die Katze aus dem **Haus** ist, / tanzen die **Mäu**se. (…) Hörst du mir überhaupt **zu**? (…) Jetzt habe ich aber ge**nug**. (…) Du **sagst** es. Ich **ge**he!

Modul 4

3 a Die blaue **Ho**se. ↘ Zwei Pull**ov**er? ↗ Eine gelbe **Blu**se? ↗ Meine **Schu**he. ↘

3 b, c Peter grüßt die Lehrerin nicht. – Peter grüßt, / die Lehrerin nicht.
Die Lehrerin hilft, / Peter nicht. – Die Lehrerin hilft Peter nicht.
Anna verspricht mir, / jeden Tag zu helfen. – Anna verspricht, / mir jeden Tag zu helfen.
Es lohnt sich nicht, / mehr zu arbeiten. – Es lohnt sich, / nicht mehr zu arbeiten.

4 a Maria hat voriges Jahr geheiratet. ↘ Sie hat geheiratet? ↗ Und sie studiert jetzt in Dresden. ↘ Peter wohnt in Stuttgart. ↘ Chris ist umgezogen? ↗ Das glaube ich nicht. ↘ Maria hat ihn im Supermarkt getroffen. ↘ In München. ↘ Der Chris sieht immer noch ganz toll aus. ↘ Er hat jetzt ganz kurze Haare. ↘ Ja ja, der Chris ist nett. ↘ Noch ein Bier? ↗

5 a Es ist klein bei einem Kamel, → / aber groß bei einer Mücke. ↘ (Das M.) Es steht zwischen Berg → / und Tal. ↘ (und) Es hängt an der Wand → / und gibt jedem die Hand. ↘ (Das Handtuch.) Es hat keinen Mund, → / aber es spricht alle Sprachen. ↘ (Das Echo.) Jeder will es werden, → / aber keiner will es sein. ↘ (Alt.) Ich gebe sie dir, → / aber sie bleibt doch bei mir. ↘ (Meine Hand.) Vor dem Waschen ist es sauber, → / aber nach dem Waschen ist es schmutzig. ↘ (Das Wasser.) Der Tag fängt damit an → / und die Nacht hört damit auf. ↘ (Der Buchstabe T.) Es sind Schuhe, → / aber sie haben keine Sohlen. ↘ (Die Handschuhe.)

8 c Vergessen
A Urlaub ist schön. ↘ Ich freu mich so. ↘ Du auch? ↗
B Ja, → aber ich hab so ein komisches Gefühl. ↘ Hof-

fentlich haben wir nichts vergessen. ⌄ Haben wir die beiden Koffer mit? ↗

A Die zwei Koffer sind hier. ⌄

B Und die Regenschirme? ↗

A Die Regenschirme sind auch hier. ⌄

B Hast du die Fenster zugemacht? ↗

A Die Fenster habe ich natürlich zugemacht. ⌄ Und die Tür habe ich auch abgeschlossen. ⌄

B Und das Geld? ↗

A Hier ist das Portmonee. ⌄ Alles in Ordnung. ⌄

C Die Fahrkarten bitte! ↗

A Oh, oh …⌄

B Was ist los? ⌄

A Die Fahrkarten …. ⌄ Die liegen zu Hause auf dem Tisch. ⌄

Schuhe

A Guten Tag. ⌄ Sie wünschen? ↗

B Ich möchte ein Paar Schuhe. ⌄

A Ja gern. ⌄ Und was für welche? ↗ Halbschuhe oder Stiefel? ⌄

B Einfach Schuhe. ⌄ Ich bin da nicht so wählerisch. ⌄ Verstehen Sie? ↗

A Also gut, → ich zeige Ihnen mal ein paar. ⌄ Diese hier zum Beispiel? ↗

B Nein, → die sind braun. ⌄ Ich möchte lieber schwarze Schuhe. ⌄

A Natürlich. ⌄ Dann vielleicht diese? ↗ Die sind wirklich sehr elegant. ⌄

B Nein, → die haben so flache Absätze. ⌄ Ich möchte welche mit hohen Absätzen. ⌄

A Und wie gefallen Ihnen diese hier? ↗

B Ach nein. ⌄ Die sind vorn so spitz. ⌄

A Diese sind rund. ⌄ Wie wär's damit? ↗

B Also, → sie haben ja überhaupt nichts Vernünftiges. ⌄ Mir reicht's. ⌄ Ich gehe! ⌄

Modul 5

3 a Maße, Stadt, bitte, **ih**n, sch**ie**f, B**ee**t, w**e**g, R**u**m

4 a Guten Tag, Herr Schmidt. Hier ist Mann! | Wie groß ist denn das Beet? Bitte geben Sie auch die Maße an. | Sie müssen auf dem Formular noch Staat und Stadt angeben. Stadt und Staat, in Ordnung. | Was sagen Sie? Offen? Ich meine: Ofen!

5 a **Was?** T**a**sse, B**a**ll, T**a**fel, R**a**d, G**e**ld, H**e**ft, K**e**ks, L**eh**rbuch, K**i**ste, B**i**ld, Br**i**lle, Br**ie**f, P**o**stkarte, R**o**ck, D**o**se, H**o**se, P**u**ppe, B**u**ch, Sch**uh**e, **Uh**r.
Wo? W**a**ld, Schr**a**nk, Str**a**ße, Schl**a**fzimmer, F**e**nsterbrett, B**e**tt, S**ee**, Dr**e**sden, K**i**nderzimmer, D**i**sco, T**i**sch, Br**ie**fkasten, K**o**ffer, Sp**o**rtplatz, **Zoo**, W**oh**nzimmer, B**u**s, **Zu**g, Fl**u**r, Sch**u**le.

6 a B**a**ll, Reg**a**l, Tom**a**te, B**e**tt, S**e**kt, T**ee**, F**i**sch, B**ie**r, R**o**se, D**o**se, K**u**ss, B**u**ch.

Modul 6

3 b 1. B**ee**t, W**e**g, d**e**nn; 2. w**äh**len, T**e**ller; 3. B**ee**ren, (Herr) M**äh**ler; 4. s**ie**, w**e**r, l**e**ben; 5. B**e**tten, St**i**lle.

4 a 1. g**eh**en, s**eh**en, l**e**sen; 2. w**e**r (w**e**nn, d**e**nn); 3. T**ee**, K**e**ks, M**eh**l; 4. z**eh**n (**e**lf, s**e**chs); 5. R**e**gen, S**ee**, W**e**g.
Lösung: E

4 b [e:] gehen, sehen, lesen, wer, Tee, Keks, Mehl, zehn, Regen, See, Weg; [ɛ] wenn, denn, elf, sechs.

5 a *Zum Beispiel:* 1. sehen, gehen, reden; 2. fernsehen; 3. leer, schwer, mehr; 4. gehen, stehen, sehen; 5. Tee, See, Meer; 6. Regenwetter, Regenschirm; 7. nähen, wählen; 8. Esel; 9. mehr, sehr, sehen, Mehl; 10. See, weh; 11. sechs, elf; 12. die Räder; 13. der; 14. Tässchen; 15. Peter, Eva; 16. Mehl, Tee, Kekse; 17. der Tee, der Regen, der See; 18. die Äpfel; 19. essen, wenn, Bett; 20. Dresden.

6 a W**e**r r**e**det g**e**rn? W**e**r isst g**e**rn Ä**p**fel? W**e**r f**äh**rt g**e**rn Rad? W**e**r l**e**rnt g**e**rn? W**e**r g**eh**t g**e**rn tanzen? W**e**r isst g**e**rn Käse? W**e**r st**eh**t g**e**rn früh auf? W**e**r trinkt g**e**rn Tee? W**e**r schläft g**e**rn lange? W**e**r isst g**e**rn **E**rdbeeren? W**e**r g**eh**t g**e**rn spazieren? W**e**r f**äh**rt g**e**rn ans M**ee**r?

7 a, b Bei schl**e**chtem R**e**genwetter ist **e**s oft zu Hause n**e**tter. Auf d**e**r ganzen W**e**lt zählt oft nur das G**e**ld. Ein l**e**ckeres **E**ssen wird nicht schn**e**ll verg**e**ssen. Tritt dir j**e**mand auf d**e**n Z**eh** tut **e**s meistens schr**e**cklich w**eh**. Ein bequ**e**mes B**e**tt ist besonders n**e**tt. Tut d**e**r Bauch s**eh**r w**eh**, trink Kamillent**ee**. N**eh**men und g**e**ben gehören zum L**e**ben. Plätzchen vom B**ä**cker schm**e**cken s**eh**r l**e**cker. M**eh**r Sonne als R**e**gen auf all deinen W**e**gen. Urlaub am M**ee**r gef**ä**llt den meisten M**e**nschen s**eh**r.

8 b
Lecker?

A Herr Ober, hallo, h**eee**! Also jetzt habe ich schon z**eh**nmal **E**rdb**ee**rtorte bestellt.

B Ja, bei so großen Mengen dauert es leider immer etwas länger, mein Herr.

A Hallo Ober, in meinem Salat kriecht ein R**e**genwurm herum.

B Na ja, R**e**genwürmer kriechen **e**ben. Sollte **e**r vielleicht mit Ihnen r**e**den?

Regen, Regen …

A Jetzt r**e**gnet es schon d**e**n ganzen Tag. R**e**gen, R**e**gen, immer nur R**e**gen.

B Wie spät ist es eigentlich?

A Z**eh**n vor z**eh**n!

B So spät? Mal s**eh**en, was im Fernseh**e**n so läuft.

A Ach Fernseh**e**n, Fernseh**e**n! Warum r**e**den wir nicht mal über was oder g**eh**en ins Kino?

B Na gut, r**e**den wir. Und worüber?

A Also so ein Tag … Es r**e**gnet und r**e**gnet.

B Und kalt ist es. Es ist kalt und es r**e**gnet.

A Genau. Es r**e**gnet seit Stunden.

B Seit früh um z**eh**n.

A Und jetzt ist es abends um z**eh**n und es r**e**gnet immer noch. Im Fernseh**e**n kommt jetzt gleich der Wetterbericht.

B Dann schalt mal ein. Mal s**eh**en, ob es morgen auch noch r**e**gnet.

Lösungen

Modul 7

3 b 1. **O**fen, s**o**llen; 2. R**u**hm, (Herr) Kr**u**ll; 3. Ch**o**r, Gr**u**ß, **U**hr, **Z**oo; 4 B**u**s, Schl**o**ss.

4 a, b Einmal B**o**nn bitte. Eine Fahrkarte nach B**o**rna. Ich möchte nach S**o**lingen. Hin und zurück nach G**u**ben. Nach K**o**blenz bitte. Nach **U**lm. P**u**lsnitz, hin und zurück. Bitte nach B**o**chum. Zweimal nach F**u**lda. Einmal nach **O**schatz, bitte. Nach S**o**ltau.

5 a Sohn, Ohr, Zoo, groß, Brot, Vogel, Obst, rot, oben, Hose, schon, so, Cola, Opa, Oma, Montag, Monat.
Lösung: Solingen.

6 a in den **Z**oo, zum Sp**o**rt, zum F**u**ßball, zum H**u**ndespiel-platz, zur **O**ma, zum S**o**mmerfest, zu **U**lla, zu S**u**si; T**o**rte, K**u**chen, **O**bst, Br**o**t, S**u**ppe, W**u**rst , N**u**delsalat, Kart**o**ffeln; **O**nkel, S**oh**n, M**u**tter, Br**u**der, T**o**chter, **O**pa, **U**do, Frau K**u**nze.

6 b M**o**na: in den **Z**oo, zur **O**ma, **O**bst, Br**o**t, S**oh**n, **O**pa; K**o**nni: zum Sp**o**rt, zum S**o**mmerfest, T**o**rte, Kart**o**ffeln, **O**n-kel, T**o**chter; R**u**di: zum F**u**ßball, zu S**u**si, K**u**chen, N**u**delsa-lat, Br**u**der, **U**do; **U**lli: zum H**u**ndespielplatz, zu **U**lla, S**u**ppe, W**u**rst, M**u**tter, Frau K**u**nze.

7 a H**o**nig, T**o**rte, C**o**la, **O**bst, K**u**chen, Kart**o**ffeln, Zitr**o**ne, Br**o**t, B**u**tter, W**u**rst, N**u**deln, S**u**ppe.

8 a neutral: So! Na gut! Komisch! begeistert: Gut! Ach so! Toll! Oh! Super! Also gut! Nanu?

8 b
Komisch!
A Guck mal, dort!
B W**o**? W**o** denn?
A Na dort **o**ben! Toll, **o**der?
B Ach s**o** … **Oh**! Super!
A Das ist s**o** k**o**misch!
Kuh Was ist k**o**misch?
B Eine K**uh** auf dem Baum. Und die K**uh** spricht auch noch.
Kuh Soll ich vielleicht hier **o**ben Mot**o**rrad fahren, **o**der was?

Zum Zoo!
A Entschuldigung. Wie komme ich zum **Z**oo?
B Z**u** Fuß **o**der mit dem Aut**o**?
A Mit dem Aut**o**.
B Mit dem Aut**o** … S**o**, s**o**! W**o** steht denn Ihr Aut**o**?
A Dort, v**o**r dem Postamt.
B V**o**r dem Postamt? Ist es der r**o**te **O**pel?
A Ja genau.
B **Oh**!
A **Oh**? Wieso?
B Sieht k**o**misch aus. Ein r**o**tes Aut**o** …
A Äh, sagen Sie mal … Ich wollte eigentlich n**u**r wissen, wie ich zum **Z**oo komme.
B Ach s**o** … Als**o** g**u**t! Am besten z**u** Fuß.
A Nach rechts, nach links **o**der geradeaus …?
B Woher soll ich denn das wissen?
A Na toll!

Modul 8

3 b 1. (Herr) Möller, (Frau) Wöhner, (Herr) Mühler, (Frau) Brünning; 2. können, Kölner, lesen; 3. Kissen, für, Tier; 4. Töchter, schon, Vögel; 5. Mütter, Bruder, Tür.

4 a Grünes Säckchen verloren! | Wer kann denn das lösen? | Kinder können das noch nicht | Nur vier Kinder! | Ein Haus mit vielen Türen | Bruder nach 50 Jahren wieder gefunden | Mit vielen Küssen … | Mutter und Töchter auf der Theaterbühne | Ein Kölner ist Lotto-Millionär!

5 a 1. Plural: die Töpfe, die Vögel, die Bücher, die Brüder, die Hüte; 2. Plural: die Töchter, die Blöcke, die Töne, die Mütter, die Stühle, die Strümpfe; 3. Diminutiv: das Höschen, das Röckchen, das Töpfchen, das Stühlchen, das Strümpfchen, das Knöpfchen; 4. Diminutiv: das Röschen, das Köfferchen, das Wölkchen, das Flüsschen, das Brü-derchen, das Vögelchen; 5. Plural: die Söhne, die Röcke, die Knöpfe, die Türen, die Füße, die Wörter; 6. Adjektiv: wörtlich, östlich, glücklich, nördlich, persönlich, südlich.

6 a Göttingen, Düsseldorf, Döbeln, Zürich; Köchin, Frisö-rin, Künstler, Gemüseverkäuferin; Gemüse, Würstchen, Möhren, Törtchen; Bücher, Vögel, Püppchen, seine / ihre Töchter; den Führerschein machen, eine Reise nach Öster-reich, ein Wörterbuch, Glück in der Liebe.

6 b Herr Müller: Düsseldorf, Künstler, Würstchen, Püpp-chen, Glück in der Liebe.
Frau Mühler: Zürich, Gemüseverkäuferin, Gemüse, Bücher, den Führerschein machen.
Frau Möller: Göttingen, Köchin, Törtchen, ihre Töchter, ein Wörterbuch.
Frau Möhler: Döbeln, Frisörin, Möhren, Vögel, eine Reise nach Österreich.

7 a … spricht Französisch. … möchte Köchin werden. … isst fünf Brötchen zum Frühstück. … hat grüne Strümpfe an. … ist immer unpünktlich*. … lebt in Österreich. … hat keinen Führerschein. … kommt aus der Türkei*. … kennt Goethe. … hat fünfzig Vögel zu Hause. … steht sehr früh auf. … lügt immer. … war gestern beim Frisör. … ist ein berühmter Künstler. … kann Flöte spielen.
*In diesen Wörtern ist ü jedoch nicht der Akzentvokal.

8 b
In der Tüte!
A Was ist da in der Tüte?
B Pssst … Möchtest du mal sehen? Hier ….
A Oh wie süß! Schön!
B Guck mal, es ist grün. Hübsch, nicht?
A Oh ja, wirklich hübsch. Das ist so süß.
C Hallo! Was ist da in der Tüte?
AB Pssst … Möchtest du mal sehen? Na? Schön, oder?
C Schön? Das ist überhaupt* nicht schön! Das ist blöd!
A Also du bist wirklich unhöflich!
B Du machst mich wütend!
C Hier, guckt mal in meine Tüte. Das ist schön! Das ist wirklich hübsch!
AB Ach nöööö!
*In diesem Wort ist ü jedoch nicht der Akzentvokal.

Vögel!

A Hör mal! Schön! Oder?

B Was?

A Hör doch mal. Die Vögel … Schön!

B Ich hör nichts.

A Typisch! Du hörst ja nie was. Die Vögel …! Die singen so schön, so fröhlich!

B Vögel? Ich hör keine Vögel.

A Weißt du was? Du bist wirklich blöd!

B Und du störst! Ich möchte lesen. So!

A Und was liest du?

B Ein schönes Buch über Vögel!

A Natürlich! Typisch!

Modul 9

4 a Weinhandlung, Heizöl, Spielzeugladen, Hausmeister, Werkzeugbau, Autowerkstatt, Gebäudereinigung, Fleischerei, Kaufhaus, Reisebüro.

5 a [aɛ]: **ein**, **eine**, **Ei**s, R**ei**s, Fl**ei**sch, W**eiß**w**ei**n, dr**ei Ei**er, G**ei**ge, **Zei**tung, w**eiß**e Schokolade, zw**ei** Bl**ei**stifte, Kl**ei**d, Kugelschr**ei**ber, R**ei**seführer, w**eiß**es Schr**ei**bpapier, kl**ei**nes Flugzeug, kl**ei**ne w**eiß**e Maus; [aɔ]: Spielzeug**au**to, bl**au**es Kleid, M**au**s; [ɔɣ]: F**eu**erz**eu**g, N**eu**jahrskarte, Werkz**eu**gkiste, Spielz**eu**gauto, D**eu**tschlandkarte, Flugz**eu**g.

Modul 10

3 b 1. alle, Armee, Wege, 2. jede, keiner, seine, Mieter; 3. Arm, Beine, Haare, Heft; 4. Blume, Zangen, Ware, nähen.

4 a Ostsee-Fisch, leckere Kuchen, Bitte süß? schnelle Suppe, Weine aus der Region, Backwaren von Kuhn, neue Ware, Spiele-Scholze, musikalische Momente.

5 a 1. Plural: die Hefte, die Stifte, die Briefe, die Filme, die Feste; 2. Nomen mit Ge-: das Getränk, das Geschenk, das Gepäck, das Gedicht, das Gefühl, der Gedanke; 3. erste Person Singular: ich backe, ich beginne, ich suche, ich bleibe, ich denke, ich esse; 4. erste Person Plural: wir fragen, wir gehen, wir singen, wir hören, wir kochen, wir lesen; 5. Partizip Perfekt: gemacht, gekommen, geputzt, geschrieben, gespielt, getragen; 6. Verb mit be-: besuchen, beschreiben, besprechen, bestehen, bestellen, befürchten.

6 a aufpassen, zuhören, üben, nachdenken, fragen, zeigen, schreiben, arbeiten.

7 a Ich besuche dich morgen! Ich wünsche dir Vergnügen. Ich lade dich zum Essen ein. Ich backe dir einen Kuchen. Ich gehe mit dir tanzen. Ich gehe mit dir einkaufen. Ich gehe mit dir baden.

8 b

Eine Jacke

A Guten Morgen, Sie wünschen?

B Guten Morgen, ich möchte eine Hose kaufen.

A Welche Farbe?

B Keine Ahnung. Sie muss zu meiner Jacke hier passen.

A Die Jacke, die Sie anhaben? Zeigen Sie mal.

Oh, die sieht bequem aus. Bequem und gemütlich. Kann ich die bitte mal anprobieren?

B Also gut, bitte …

A So eine feine Jacke. Wo haben Sie die denn gekauft?

B Soll ich Ihnen vielleicht noch einen Spiegel bringen?

A Oh, das wäre sehr nett von Ihnen.

B Sagen Sie mal, ich wollte eine Hose kaufen …

A Alle wollen immer nur was von mir haben – und ich? Ich bekomme nie was.

B Geben Sie meine Jacke her. Auf Wiedersehen!

Es klingelt!

A Hörst du … die Klingel! Mitten in der Nacht? … Los, aufstehen! Du musst nachsehen!

B Ach nee, ich will schlafen. Ich kriege meine Augen gar nicht auf.

A Das klingelt und klingelt. Mensch, aufwachen! Da ist bestimmt was passiert!

B Okay, ich gehe ja schon. Wo ist denn meine Hose …, mein Bademantel …

C Einen wunderschönen guten Abend. Ich repariere gerade Ihre Klingel.

B Was? Die ist ja gar nicht kaputt. Hören Sie das denn nicht?

C Sehen Sie? … weil ich Sie gerade repariert habe.

Modul 11

2 c [p] **P**ersonen; [b] Ho**bb**y, **b**acken, **B**erg; [t] **t**anzen, Ra**d**; [d] **D**isco; [k] **k**ochen, ba**ck**en, Ber**g**, Dis**c**o; [g] **g**ehen, **g**ern.

3 b 1. **P**aar, **B**ass, **b**acken, Ge**p**äck; 2. **B**ein, **w**ir, **B**ar, **B**erg; 3. **T**ier, **d**anken, En**d**e, Li**t**er; 4. **G**arten, **K**ern, we**ck**en, Frau Ha**g**er.

4 a eine **g**elbe **B**anane [g] [b] [b] | ein **k**leines **B**ild [k] [b] [t] | ein **b**lauer **B**all [b] [b] | ein Stü**ck** **B**rot [t] [k] [b] [t] | ein **d**ickes **B**uch [d] [k] [b] | eine run**d**e **D**ose [d] [d] | ein ele**g**antes **K**leid [g] [t] [k] [t] | ein hü**b**sches **T**uch [p] [t] | ein **b**isschen **G**eld [b] [g] [t] | eine **g**roße **K**iste [g] [k] [t] hun**d**ert **G**ramm **K**e**k**se [d] [t] [g] [k] [k] | eine **kapu**tt**e** **T**asse [k] [p] [t] [t] | ein **K**ugelschrei**b**er [k] [g] [b] | eine Lan**d**kar**t**e [t] [k] [t] | ein **K**ilo O**b**st [k] [p] [t]

5 a Nomen: die Räder, der Tag, die Wege; Adjektive: Der Ball ist rund, gesundes Obst, Der Tag ist anstrengend; Verben: gab, leben, gefunden.

5 c das Bild, das Rad, der Tag, der Weg; gelb, rund, gesund, anstrengend; fragte, gefragt, gab, lebte, gelebt, fand. b, d, g wird im absoluten Auslaut von Wörtern (Bild, rund, …) oder wenn noch Fortis-Konsonanten folgen (fragte, lebte, …) als [p, t, k] gesprochen.

7 a [p]: **sp**ielen, kom**p**etent, **p**erfekt, su**p**ertoll, hü**b**sch; [b]: **b**escheiden; [t]: gu**t**, is**t**, krea**t**iv, denk**t**, gefäll**t**, Gi**t**arre, kompe**t**ent, **t**o**t**al, perfek**t**, super**t**oll, sieh**t**, elegan**t**, geklei**d**et; [d]: beschei**d**en, **d**enkt, an**d**ere, geklei**d**et; [k]: **k**ann, **k**ochen, **k**reativ, **k**ompetent, wir**k**lich, perfe**k**t, **c**ool, schi**ck**, ge**k**leidet; [g]: **g**ut, **g**efällt, **G**itarre, **g**roßzügig, **g**enial, ele**g**ant.

Lösungen

8 b Konzertkarten: Gu**ck** (…) ha**b** Konzertkarten (…) Toll (…) Konzert Traumhaft (…) Sa**g** (…) Freus**t** (…) nicht (…) to**t**al! Weiß**t** (…) tolles Or**ch**ester (…) Publikum (…)aufregen**d** (…) wir**k**lich aufregend (…) un**d** (…) Kle**i**d (…) Termin trage (…) Kalender (…) zweiter Dritter (…) Güte heute ist (…) dritte Dritte (…) Konzert (…) gestern (…) Mist (…) Glü**ck** (…) Konzerte.

Kirschtorte: Bitte (…) Tee (…) Kaffee (…) Stü**ck** Kir**sch**torte bitte (…) Kommt sofort (…) Tasse Tee (…) Tasse Kaffee (…) Stü**ck** Kir**sch**torte. Guten A**pp**etit. (…) Danke! Moment (…) Kirschtorte (…) fehlt (…) ist damit (…) sin**d** **k**eine Kirschen (…) Natürlich sind (…) **k**eine Kirschen (…) heiß**t** (…) natürlich (…) bestelle **K**irschtorte (…) erwarte ich (…) Kirschen (…) erkläre (…) San**d**kuchen (…) San**d** drin ist (…) Natürlich nicht (…) deshal**b** sind (…) Kirschtorte (…) **k**eine Kirschen (…) **k**lar.

Modul 12

3 b 1. **f**ein, **W**ort, **W**elt, **v**ier; 2. **W**and, **B**ier, **b**ald, **w**ar; 3. rei**s**en, fließen, Krau**s**e, Reu**ß**ig; 4. Ta**ss**e, Flei**sch**, **S**ohn, **s**ieben.

4 a Vier kommen durch die ganze Welt. Bald am Fluss. War in Frankreich! Familie Krauße macht Ferien. Wiesen, Freude und Vergnügen. Susannes Fleiß! Alle Taschen im Schrank! Schon in der Sonne. Alle sieben!

7 a Welcher Sinn hat keinen Sinn? Der Unsinn. | Welche Watte kann man essen? Die Zuckerwatte. | Welcher Stuhl hat kein Bein? Der Fahrstuhl. | Was hat keinen Anfang, aber zwei Enden? Die Wurst. | Was hat die Straßenbahn vorn und der Bus hinten? Den Buchstaben S. | Welches Jahr hat nur drei Monate? Das Frühjahr. | Welches Tier steckt in Kaffee? Der Affe. | Wer fällt und verletzt sich dabei nicht? Die Schneeflocke. | Wann soll man in Gläser keinen Wein gießen? Wenn sie voll sind. | In welchem Hafen gibt es keine Schiffe? Im Flughafen.

8 b **Verkehrt:** (…) **V**ase (…) **V**ase (…) **V**ase (…) **W**as? **W**ie**s**o (…)

Zu Fuß: (…) **S**ie (…) **S**ie (…) **W**ie**s**e (…) **W**ie**s**e (…) **S**ie (…) die**s**e **W**ie**s**e (…) **S**ie (…) le**s**en (…) **S**o (…) **W**ie (…).

Modul 13

3 a Ich-Laut [ç]: Kü**che**, Kö**ch**in, Mil**ch**, Geri**ch**t, Hähn**ch**en, Plätz**ch**en, wei**ch**; Ach-Laut [x]: ko**ch**en, Ku**ch**en, Knoblau**ch**, Handtu**ch**; Sch-Laut in [ʃt, ʃp]: **st**ellen, be**st**ellen, Buch**st**abe, Roll**st**uhl, Bei**sp**iel, **sp**ielen; S-Laut in [st, sp]: am be**st**en, begei**st**ert, er**st**, du roll**st**, Pro**sp**ekt.

3 c 1. Nacht, (Herr) Plache, (Frau) Brock, (Herr) Noke; 2. Kirche, (Frau) Fischel, (Herr) Michmann, (Frau) Mönschner.

4 a engagierte Stationsschwestern, hübsche Geschwister, sparsame Köche, sympathische Automechaniker, strenge Polizisten, typische Raucher, entspannte Besucher, schöne Fußballspieler, charmante Chefinnen,

respektvolle Geschäftspartner, wichtige Schriftsteller, komische Hausmeister.

6 a Ich-Laut [ç]: di**ch**, biss**ch**en, richti**g**, mi**ch**, endli**ch**. Ach-Laut [x]: La**ch**, do**ch**, einfa**ch**, Besu**ch**, Bu**ch**!, Scha**ch**, Ma**ch**, Ko**ch**. Sch-Laut [ʃ]: **Sch**reib, **S**treng, **Sch**laf, **sch**önes / **Sch**önes, Ent**sp**ann, **S**piel, **Sch**ach, **S**port.

7 a Ich-Laut [ç]: Bröt**ch**en, Flei**sch**gerichte, Deutsch**un**terri**ch**t, Mär**ch**enbücher, Einbaukü**ch**en, herrli**ch**, peinli**ch**, schreckli**ch**, gemütli**ch**, kitschi**g**; Ach- Laut [x]: Bau**ch**schmerzen, Besu**ch**, Ho**ch**häuser, Ho**ch**zeiten, Knoblau**ch**, Rau**ch**en; Sch-Laute [ʃ]: fri**sch**e, Flei**sch**gerichte, Deut**sch**unterricht, Bau**ch**schmerzen, Regen**sch**irme; **sch**recklich, prakti**sch**, **sch**ick, an**s**trengend, **sch**limm, **sp**annend, hüb**sch**, komi**sch**.

8 a 1. wütend; 2. traurig; 3. erfreut; 4. ängstlich; 5. überrascht.

8 c Ich- Ach-Laute
Warum lachst du?
A (lacht)
B Warum la**ch**st du denn?
A I**ch**? A**ch** nichts …
B Du la**ch**st über mi**ch**, oder? Hab ich vielleicht was Komisches an? Oder hab ich ein Lo**ch** im Strumpf …?
A Nein, nein … Gu**ck** do**ch** mal, dort!
B A**ch** ja! A**ch** so! Mensch, schrecklich! Schrecklich und witzig …
C Warum la**ch**t ihr denn?
B Mensch, da … Ist das nicht peinlich?
C A**ch** Gott, naja …

In der Tasche
A Ich hab da was in der Tasche.
B Was denn? Taschentücher?
C Streichhölzer?
B Einen Spiegel?
A Nein, keine Taschentücher, keine Streichhölzer und au**ch** keinen Spiegel. Hier, gu**ck**t do**ch** mal!
B Huuuch!
C A**ch** so? Na schön.
A Möchtet ihr es haben?
BC Nicht nötig!

Modul 14

3 b 1. Brett, Boot, kratzen, (Herr) Postler; 2. warten, Tochter, dort, (Herr) Kuchental; 3. legen, Reise, Rücken, hell, hart; 4. bitte, keiner, leiser, drucke.

5 b konsonantisches R: Leh**r**er, Hö**r**er, **r**auchen, sp**r**echen, **r**eagieren, **r**ühren, Leh**r**erin, Hö**r**erin, **R**aucher, Sp**r**echer, **r**eagiert, ge**r**ührt, **R**eiseführer, Fah**r**er, Sport, t**r**ainieren, b**r**ingen, f**r**ei, **R**eiseführerin, Fah**r**erin, Sportler, t**r**ainiert, ve**r**bringen, f**r**eier, ko**r**rigieren, ko**r**rigiert, Uh**r**en, Oh**r**en, Jah**r**e, Mee**r**e, a**r**beiten, b**r**eit, f**r**agen, antwo**r**ten, be**r**eiten, sch**r**eiben, A**r**beiter, b**r**eiter, F**r**age, Antwort, vo**r**bereiten,

verschreiben, hart, kräftig, groß, herrlich, härter, kräftiger, größer, herrlicher.
vokalisches R: Lehrer, Hörer, Raucher, Sprecher, reagiert, gerührt, Reiseführer, Fahrer, Sportler trainiert, verbringen, freier, Uhr, Ohr, Jahr, Meer, vorstellen, korrigiert, Arbeiter, breiter, vorbereiten, verschreiben, härter, kräftiger, größer, herrlicher, leiser, müder.

6 a konsonantisches R und vokalisches R: ein frisches Brot, eine leckere Bratwurst, eine runde Brezel, eine braune Krawatte, rote Strümpfe, eine große Trommel, ein breites Brett, prima Pralinen, grünes Briefpapier, eine originelle Uhr, ein herrlicher Blumenstrauß, ein schwarzes Fahrrad, drei Briefmarken, eine große Sonnenbrille, rostfreie Schrauben, ein praktischer Rasierapparat, dreißig Streichhölzer.

7 a konsonantisches R und vokalisches R:
Was? Brille verloren! Ring verloren! Rollschuhe verloren! Rucksack verloren! Uhr verloren! Rock verloren! Brief verloren! Wörterbuch verloren! Reifen verloren! Rad verloren! Wo? auf der Straße, im Rathaus, auf der Rolltreppe, auf der Brücke, in der Bücherei, beim Frisör, in der Straßenbahn, im Theater, im Restaurant, im Riesenrad.

8 b konsonantisches R und vokalisches R:
Ein Fahrrad ohne Rad
A Soll ich dir mal erzählen, was mir vor ein paar Jahren passiert ist, als ich mit dem Fahrrad durch die Wüste fuhr?
B Na klar!
A Also … ich fahre mit meinem Fahrrad und plötzlich fällt ein Rad ab.
B Oh wie schrecklich. Und dann?
A Ich bin abgestiegen und hab das Fahrrad getragen. War natürlich sehr schwer …und es war auch sehr warm. Plötzlich vor mir: ein Löwe!
B Das ist ja furchtbar …! Was hast du gemacht?
A Na, ich bin sofort auf mein Fahrrad gesprungen und wie der Blitz davongefahren.
B Aber das Fahrrad hatte doch nur noch ein Rad.
A Na, das war mir in dem Moment völlig egal.

Ein Fahrrad ohne Licht
A Hallo, hören Sie mal! Sofort absteigen und herkommen!
B Was ist los?
A Ihr Fahrrad hat kein Licht.
B Klar! Ich weiß.
A Klar? Und wieso fahren Sie dann damit? Wenn kein Licht am Fahrrad brennt, müssen Sie es schieben.
B Hab ich vorhin probiert. Das Licht brennt trotzdem nicht.

Modul 15

3 b 1. (Herr) Wenger, (Frau) Winner, (Herr) Rungel, (Frau) Tang; 2. (Herr) Hankel, (Frau) Brongert, (Herr) Wingler, (Frau) Linke.

4 a Tangermünde, Blankenburg, Bad Kissingen, Dinkelsbühl, Berching, Dingelstädt, Zwenkau, Zwingenberg, Ellwangen, Lengenfeld.

Modul 16

3 b 1. Halle, alt, Hessen; in, Haus, verhalten; 2. von Ina, im Mai, aus Ahlbach, Berliner Leben!

4 a Bitte nur die Hälfte! Das gehört Anne! Halt! Nicht essen! Vorsicht beim Messen! Bin heute in Ollendorf! Typisch: Leipzig erleben! Hund bitte nicht vergessen! Aufpassen an der Ecke! Von Nina !

5 a *Zum Beispiel:* 1. einladen, einsteigen; 2. hingehen, hinsetzen; 3. ankommen, anziehen; 4. aufstehen, aufhören; 5. Freiheit, Gesundheit; 6. aussehen, aussteigen; 7. abfahren, abholen; 8. der Ausgang, der Ausflug; 9. der Eingang, der Einkauf; 10. der Handschuh, das Handtuch; 11. der Hausschuh, die Hausaufgaben; 12. herkommen, herstellen; 13. unfreundlich, unwichtig; 14. hierbleiben, hierher; 15. umsehen, umsteigen; 16. unterhalten, unterschreiben; 17. übersetzen, überlegen; 18. erzählen, ergänzen.

6 a H-Laute und Knacklaute: Hast du einen Hund zu Hause? Spielst du Handball? Bist du verheiratet? Hörst du gern Hip-Hop? Isst du gern Honig? Hast du einen Hut zu Hause? Wie heißt deine Mutter? Isst du gern Eis? Hast du ein Auto? Hast du Hunger? Hast du Heimweh? Hast du Herzklopfen?

Modul 17

1 b [ts]: nichts, Zitrone; [ks]: mittags, Kekse; [kv]: Quark; [pf]: Pflaume, Apfel; [tʃ]: Ketschup.

3 b 1. rechts, nicht, Netz, Zeile; 2. so, Zeit, heizen, Kurs; 3. mittags, trinkst, Test, liest; 4. (Herr) Hopfner, (Frau) Lipp, (Herr) Riffel, (Frau) Depfner.

4 a Komplizierter Test! Katze nach langer Zeit wieder gefunden! Kalter Tee nach dem Winterspaziergang? Trotzdem war es kurz! Liest du richtig? Nicht auf Deutsch! Alex wächst immer weiter! Warum schreist du so? Du weißt viel!

7 b Knopf – Kopf, so – Zoo, kurz – Kurt, Zeh – Tee; schmeckt – Sekt.

Modul 18

4 *Zum Beispiel:* 1. aussehen, ausgehen, ausbauen, weggehen, wegsehen; 2. das Bild, das Buch, das Blatt, das Dach, das Datum, das Deutschbuch, das Geschenk, das Geld, das Gepäck; 3. der Eisbecher, der Eisbär; 4. Ich bin 25 Jahre alt. Ich bin Polin. Ich bin glücklich. / Ich gehe gern ins Kino. Ich gehe morgen in die Schule. Ich gehe ins Bett. / Ich sehe dich nicht. Ich sehe gern fern. Ich sehe mir ein Bild an. 5. Bist du müde? Bist du schon da? / Kannst du Geige spielen? Kannst du mir helfen? 6. Du sollst doch wieder mal ins Kino gehen. Du sollst doch nicht so viel arbeiten.

Phonetische Begriffe

Affrikate: Verbindung aus → Plosiv + → Frikativ ([ts] – *Zeit*, [pf] – *Topf*).

Akzentvokal: → Vokal in der → Wortakzentsilbe; lang: *Buchstabe*; kurz: *Silbe*.

Auslautverhärtung: Aussprache der Buchstaben *b, d, g, s, w* im Auslaut von Wörtern und → Silben als gespannte → Fortis-Frikative (*Haus, Aussichten*) oder → Fortis-Plosive (*Tag, liebst*).

Diphthonge: Verbindungen aus zwei → Vokalen ([ɔœ] – *Euro*).

fortis: gespannte und → stimmlose → Fortis-Frikative ([f] - *fein*) und → Fortis-Plosive ([p] – *packen*.

Frikative: → Konsonanten mit Reibegeräusch (→ fortis: [f] – *fein*, → lenis: [v] – *Wein*).

Knacklaut: → Vokalneueinsatz

Konsonanten: a) Buchstaben (*b, c, d, f, g, h, k, l, m, n, …*) und b) → stimmhafte und → stimmlose → Laute (stimmlos: [p], [f], …, stimmhaft: [m], [l], …).

Konsonantischer R-Laut: Aussprache von *r* als → Lenis-Frikativ ([ʁ] – *rot*) oder als Zungenspitzen-R [r] oder als Zäpfchen-R [ʀ].

Laute: Aussprache von → Buchstaben (*a* = langes [aː] in *Maße* oder kurzes [a] in *Masse*).

lenis: ungespannte → Lenis-Frikative ([v] – *Wein*) und → Lenis-Plosive ([b] – *backen*).

Melodie: Sie steigt (*Sie kommt nicht?*↗), fällt (*Sie kommt nicht.*↘) oder bleibt gleich (*Sie kommt nicht …*→).

Pausen: Unterbrechungen zwischen Sätzen, an Kommas und vor *und* (*Sie kauft ein Hemd, / eine Bluse / und eine Hose.*) und manchmal zwischen Wortgruppen (*Sie kauft / ein Hemd.*)

Phonetik: a) Lehre von den → Lauten, → Wortakzenten, → Melodie, … in der gesprochenen Sprache, b) Ausspracheschulung.

Plosive: → Konsonanten mit Explosionsgeräusch (→ fortis [p] – *Paar*, → lenis [b] – *Bar*).

progressive Assimilation: → stimmhafte → Lenis-Konsonanten werden → stimmlos nach → Fortis-Konsonanten (z. B. in *das Bild* und *Eisbecher* sind alle markierten Konsonanten stimmlos, denn [s] in *das* und *Eis* ist → fortis und stimmlos, stimmhaftes [b] wird deshalb auch stimmlos).

Rhythmus: regelmäßige Folge von betonten und unbetonten → Silben (**HM**-hm-hm! Hm-hm-**HM**? = **Komm** doch mal! Hast du **Zeit**?); klingt im Deutschen meist etwas hart (staccato).

Satzakzent: am stärksten betontes Wort in Sätzen, liegt auf dem neuen bzw. wichtigsten Wort, (**Gib** mir das Buch. = Behalte es nicht. *Gib* **mir** *das Buch*. = Gib es nicht jemand anders.)

Schwa-Laut: sehr schwaches (reduziertes) *e* in Präfixen und Endungen von Wörtern ([ə] – *beginnen*).

Silben: Teile von Wörtern (*HM-hm = Sil-ben, HM-hm-hm = Buch-sta-ben*).

stimmhaft: → Laut mit Stimmlippenschwingung, das sind alle → Vokale und manche → Lenis-Konsonanten [b, d, g, v, z, …]. Stimmhaftigkeit fühlt man am Hals als Vibration.

stimmlos: → Laut ohne Stimmlippenschwingung, das sind alle → Fortiskonsonanten [p, t, k, f, s, …] und manche → Leniskonsonanten durch → progressive Assimilation.

Vokale: a) → Buchstaben (*a, e, i, o, u, ä, ö, ü*) und b) → stimmhafte → Laute ([aː], [a], [eː], [ɛ], …).

Vokalischer R-Laut: Aussprache von *r* als → Vokal ([ɐ] – *Ohr*, *Erzähler*).

Vokalneueinsatz: Knackgeräusch vor Vokalen am Anfang von Wörtern und Silben (*achten, beachten*).

Wortakzent: stark betonte → Silbe im Wort: *Buch*-sta-be; sie ist länger, lauter, deutlicher, etwas höher oder tiefer als die anderen Silben.

Wortgruppen / rhythmische Gruppen: Wörter, die ohne → Pause zusammen gesprochen werden (*GutenTag*).